新潮文庫

やなりいなり

畠中　恵著

新潮社版

9840

目次

挿画 柴田ゆう

やなりいなり

こいしくて

序　小豆粥《あずきがゆ》（塩味、砂糖味）

縁あって、妖《あやかし》達が数多《あまた》住まう長崎屋《ながさきや》の、小豆粥の調理法。

・用意するもの
炭を熾《おこ》した長火鉢《ながひばち》、もしくは熱源。
土鍋《どなべ》（大）。
米　一合（かっぷ一杯）。
小豆　三分の一合（かっぷ三分の一杯）。
塩　小さじ半分。
胡麻《ごま》　少し。

水。

・用心するもの
いつもお腹《なか》を空《す》かせている妖達。家を軋《きし》ませる小鬼の鳴家《やなり》は、数が多い故《ゆえ》、要注意。

・作り方
土鍋に小豆を入れる。そこに、かぶるくらい水を入れ、炭を熾した長火鉢に載せる。

沸騰《ふっとう》したら炭を引いて弱火にし、鳴家五匹が、順番に六十数える間（五分）ゆでる。

それから、ゆで汁を一度捨てる。

次に、土鍋に水を四合（かっぷ四杯）入れ、十四の鳴家が、一匹ずつ六十数える間（十分）、煮る。煮えたら、ゆで汁と小豆に分ける。

小鬼が豆に手を出したら、ぴしゃりとお尻《しり》を叩《たた》いておくこと。


米は、洗って水を切っておく。

小豆のゆで汁《しる》に水を足し、六合（かっぷ六杯）にする。土鍋に米と増やしたゆで汁を入れ、四半時《はんとき》（三十分）以上つけておく。

土鍋に小豆を入れ、炭を控えめに熾した（弱火にした）長火鉢にかける。半時より少し短めに（五十分）煮る。ふきこぼれそうになったら、土鍋のふたをずらし、少し開ける。

火から外し、土鍋に塩を入れて、鳴家五匹が一匹ずつ六十数える間（五分）蒸らす。

最後に全体を混ぜ合わせ、胡麻をふる。

これにて、できあがり。妖達が最初に食べたがるので、気をつけるべし。


（注意）

煮えてくると、美味《おい》しい匂《にお》いがするが、土鍋は熱い。よって妖達に、土鍋へ手を出させないこと。屛風《びょうぶ》のぞきや野寺坊《のでらぼう》が先に手を出すと、直《す》ぐに空になってしまうので、佐助《さすけ》や仁吉《にきち》に叱《しか》ってもらうこと。

そして長崎屋では、客人《きゃくじん》が来た時、山盛りの砂糖を添えることを忘れない。貧乏神《びんぼうがみ》の金次《きんじ》と禍津日神《まがつひのかみ》は、山盛り砂糖入りが好み。

1

真冬の寒さの中、廻船問屋《かいせんどんや》兼薬種問屋《やくしゅ》、長崎屋がある通町《とおりちょう》では、最近ある病《やまい》が流行《はや》っていた。

それは若いおなごが、かかりやすいと言われている病であった。頬を赤らめ、潤《うる》んだ目元となり、にこりと笑うようになる。いつもよりずっと、かわいくなったりする。

そしてこれは、おなごに関わった男にもうつるからして、威力の強い病であった。かわいいおなごを見た男どもは、いそいそと粋《いき》な格好をしたりするのだ。

おまけにこの病は、年甲斐《としがい》もなく、壮年の者が取っ憑《つ》かれる事もある。夫婦の片方がこれにかかると、茶碗《ちゃわん》が部屋を飛び大喧嘩《おおげんか》が始まって、仲裁に入る者が難儀《なんぎ》をする。

恋の病。草津《くさつ》の湯に入っても治らぬといわれる大病は、何故《なぜ》だか通町界隈《かいわい》で流行って、親や仲人《なこうど》を大いに困らせていた。

そして。

この冬は、何と長崎屋の若だんなまでも、病の片鱗《へんりん》をその身に感じていた。ある日、長崎屋の塀の向こうから、柔らかい歌声が聞こえて来た。余りに甘い声であったので、若だんなは掻《か》い巻《ま》きの中から出て、中庭に降りると、木戸《きど》を開け外を見てみたのだ。

すると。

戸の先を流れる堀川《ほりかわ》の向こうに、一人の娘御《むすめご》が、何か口ずさみながら立っていた。

(あ、なんて綺麗《きれい》な人なんだろ)

湯屋《ゆや》で洗った帰りなのか、髪を結《ゆ》わずに背に垂らしている。珍しい事に袴《はかま》をはいていたから、巫女《みこ》なのかもしれない。ふと目が合った時にこりと笑った気がして、若だんなは、頬が熱くなった。ひょっとしたら、赤くなったのではと思う。

だが、若だんなが寸《すん》の間《ま》見とれていると、あるかなしかの風が吹いて、さっと木戸が閉まってしまった。急ぎまた開けてみたが、目を外へ向けても、先ほどのおなごの姿は、もう堀沿いには見えない。

(誰なんだろう。この辺りのお人じゃ、無いように思うけど)

見ただけで心が騒ぐのは、春のような風のせいだろうか。何だか心の内が揺れている。若だんなは何時《いつ》になく、心をときめかせたのだ。

(今の人に、また会えるだろうか)

その晩は、何となく嬉《うれ》しいような気持ちで、床《とこ》についた。

ところが。

翌日若だんなを待っていたのは、その佳人《かじん》ではなかった。

「ひゃっ、若だんな。どうしたんですか」

長崎屋の中庭に、若だんなの兄《にい》やである、佐助の大声が響く。

通町でも一の病弱として、その名を知られた若だんなは、今日もいつものように、離れで伏せっていた。ちゃんと大人しくしていたのだ。なのに！　寸の間目を離したところ、佐助は、顔を引きつらせる事になった。若だんなは掻い巻きを翻《ひるがえ》しつつ、中庭を走り回っていたのだ。

「止まって下さいっ」

佐助が、黒目を細くする。佐助は長崎屋で手代《てだい》として働いており、若だんなの兄やとして、それこそ親代わりに育ててきたものであったが、その本性は妖、犬神《いぬがみ》と呼ばれている身なのだ。佐助は若だんなを追い、己《おのれ》も駆け出した。

そして。

のんびり、それを眺めていた鳴家達の目の前で、息を詰まらせながら駆ける若だんなの方へ、佐助はもの凄《すご》い蹴《け》りを入れたのだ。

「ぎゅわーっ」

「ひゃあああっ」

長崎屋の家が、土蔵が、大きく軋んだ。庭の稲荷《いなり》の扉が、風もないのに開く。いつにないざわめきが、風と共に土間を、店表《たなおもて》を駆け抜け、驚いたもう一人の兄や仁吉が、中庭へ飛び出してきた。長崎屋の店表にいた者達までが、驚いた顔で庭に出てくる。

「今の声は？　何があったんですか」

「みんな、ごめん。今の、私の声だ」

若だんなが息を切らしつつ言うと、皆の目が、庭にうずくまった騒い巻きに集まる。しゃがみ込んだ若だんなを、仁吉が抱え込んだ。

「厠《かわや》へ行く途中、庭石に蹴躓《けつまず》いちゃって」

思わず叫んだと若だんなに聞き、皆、ほっとした様子をみせ、得心した顔で店表へ戻っていった。若だんなが、怖い表情を崩さない仁吉に、そっと顔を向ける。

「仁吉、こんな言い訳で、良かったかな？」

「そうですね。まさか店の皆に、あんな者のことを説明する訳には、いきませんからねえ」

二人の視線が、人目に付かない土蔵脇《わき》に隠れた、佐助へ向かった。兄やは、今蹴り倒した、青ざめた憎形《そうぎょう》の老人の首根っこを、押さえつけている。老人は佐助の腕の下で、蹴飛ばされた腰をさすりつつ、それでもえへらえへらと笑っていた。

「あのなぁ、そんなに強く摑《つか》まれては、痛いではないかぁ」

老人が、見た目よりも妙に若々しい声で言うと、立ち上がった仁吉が、若だんなの側《かたわら》から佐助へ声をかけた。

「おい、そやつは人ではない。それどころか、恐ろしい病を運ぶ、疫神《えきじん》だぞ。何故若だんなの後ろを追っていたのだ」

仁吉の本性は、万物を知ると言われる白沢《はくたく》だ。正体を言い当てられた疫神は、口をひん曲げ、仁吉を見た。

「おや、知られたか。あぁ、この店には白沢さんがいたのだったな。若だんなを、追っては拙《まず》かった。失敗、失敗」

そこの若いのは、取っ憑いたら直ぐに病になりそうで、つい心そそられたのだと、疫神は懲《こ》りもせずに言う。すると佐助が、黙ったまま拳固《げんこ》を振り下ろした。悲鳴があがり、若だんなはいささか呆然《ぼうぜん》としつつ、疫神に問う。

「疫神は私に、新たな病をうつそうとして、長崎屋へ来たのですか？」

「いやぁ、違う。話があったのだ。だがつい、勤めに励んでしまってな」

病を広めるのが、我が身の役目だからしてと言い、疫神がへらりと笑った途端、佐助がその首根っこを乱暴に摑み直す。

「役目を務めるのが筋というのなら、私もそうしよう。我は、若だんなに害を為《な》すものを、退治するのが役目だ」

疫神を引きずり木戸から出ると、近くを流れる堀川へと向かう。そして、遠慮無く流れにたたき落としたのだ。

「うわぁ、がぼがぼがぼ……」

「佐助っ、無茶を、おしでないよ」

若だんなが慌《あわ》てて、庭から声をかける。だが、若だんな第一の佐助は、堀川の川端で腰に両手を当て、大きく頷《うなず》いていた。

「よしよし。病の元は、無事に流れていったか」

一方仁吉は、若だんなをひょいと背に負い、急いで離れの床内に戻した。

「とんだ者が長崎屋へ来てしまいましたね。とにかく追い払いましたから、気を楽にして、ゆっくり養生して下さい」

「あの疫神、大丈夫かな。何か話があったみたいだけど」

「若だんな、疫神の心配まで、する必要はありません！　本当に大病をうつされたら、どうするんです」

仁吉が今日の薬湯《やくとう》は、倍、濃くしなくてはと言いだし、若だんなは布団《ふとん》に潜り込む。

「それにしても、あの疫神、一体何の話があったのかしら」

しばし首を傾《かし》げていると、「きゅぴー」鳴家達が、嬉しげな声を立て布団に入ってくる。小鬼は暖かい。若だんなは鳴家達と一緒に、やがて眠りにおちていった。

ところが。兄や達がけりを付けた筈《はず》の騒ぎは、これしきでは終わらなかったのだ。

翌日の昼、若だんなの寝間《ねま》で、鳴家達が一斉に騒ぎ出した。

「ぎょぴーっ、誰かが来た。怖いのが、離れに入ってきたっ」

「へっ？　怖いのって……？」

「若だんな、逃げないと。逃げなかったら……どうなるかな？　ぎゅい、知らない」

「ひええっ」

若だんなは必死に寝床《ねどこ》から立ち上がったが、離れは大して広くはない。逃げられる場所などほとんど無く、戸惑っている間に怪しの影が迫る。廊下が軋む。離れが暗い気配に包まれてきた。

（ああ、拙い……）

唇を噛《か》んだ。

するとそこへ、鳴家の騒ぎを聞きつけた仁吉が、店表から飛んできてくれたのだ。

離れに来た途端、仁吉が悲鳴を上げる。

「何と、禍津日神《まがつひのかみ》が来ているのかっ」

離れの角から姿を見せたのは、若だんなも名だけは知る災厄《さいやく》の神であった。廊下で出会ったせいか、一見並な、これといって特徴のない者に見える。

しかしこの神は、あらゆる禍《わざわい》を支配している、とんでもない者なのだ。その禍津日神が、若だんなを見て大きく手を広げ迫って来た。

「おお、御身《おんみ》が長崎屋の若だんなか。会いたかったぞう」

「あの、その、私にですかっ」

若だんなは思わず、小さな悲鳴を上げてしまった。

その時仁吉が、あっという間に二人の間に割って入り、拳《こぶし》を下から上へ振りぬいたのだ。殴り飛ばされた禍津日神は、短く堅い音と共に障子《しょうじ》を二枚倒し、ふっ飛んで姿を消した。

「ま、間に合った」

「仁吉……ありがと。でも禍津日神を殴って、大丈夫かな」

「若だんな、あんな神に抱き留められたら、心《しん》の臓《ぞう》が止まるやもしれませんよ」

何で立て続けに剣呑《けんのん》な者達が来たのかと、仁吉は思いきり顔を顰《しか》めている。それから若だんなをひょいと摑み、急ぎ布団に入れると、仁吉はやっと落ち着き笑みを浮かべた。だが余程心配したのか、兄や達は当分、交代で若だんなの布団の側《そば》に張り付くことにするという。

「大丈夫だって。さすがにもう、こんな事は起きやしないよ」

長崎屋は真っ当な商《あきな》いをしているし、商売は順調、恨まれる覚えもない。つまり、疫神や禍津日神に会うはめになったのは、余程の偶然としか思えないのだ。

(そうだよね。そのはずだ。でも……)

だが、恐ろしき神は、会うだけでひどく疲れる相手らしい。若だんなはもう少し考えたかったのに、直ぐに眠りに落ちていった。

2

しかし！　珍しくも若だんなの予想は、きっぱり、さっぱり外れてしまった。

禍津日神が消えた翌日の昼前、兄や達が揃《そろ》ってちょいと店表へ呼ばれた時、その間を狙《ねら》うかのように、入れ替わりに離れへ来た者がいたのだ。

途端、中庭の稲荷にいる守狐《もりぎつね》達が、大勢で走り回り騒ぎ立てる。

「拙いぞ、また、とんでも無い御仁《ごじん》が長崎屋に現れたぞっ」

「破れ団扇《うちわ》を持った、ぼろ着物の老人！　あれは疱瘡神《ほうそうがみ》ではないか。時花神《はやりがみ》を連れてるぞっ」

十人病に罹《かか》れば、まず四人は死ぬと言われる、恐ろしい流行病《はやりやまい》の神の登場であった。連れは、顔が良くて気が弱そうで、運も悪そうな若い御仁であった。「きゅい、あれも神？」鳴家《やなり》達も鳴き始め、思い切り屋根を軋《きし》ませるが、止める力はない。疱瘡神は、ぱたぱたと羽団扇《はうちわ》を振りつつ、さっさと離れに上がってきてしまった。

若だんなが、やっと布団の上に身を起こした時、疱瘡神は既に近くにいた。その黒い目が迫る。総身《そうみ》に震えが走った。

すると……若だんなと疱瘡神との間に、立ちはだかった者がいたのだ。

「や、止《や》めねえか。こいつは本当に弱っちぃんだ。病の神なんか来るんじゃねえっ」

驚いた事に、疱瘡神に食ってかかったのは、屏風《びょうぶ》のぞきであった。いつにない勇気に、若だんなが目を見張った途端、破れ団扇を一振りされ、屏風のぞきは庭へ吹き飛んでしまう。疱瘡神は布団の脇にしゃがむと、若だんなに顔を近づけた。

だが、急に疱瘡神の眉尻《まゆじり》が下がる。

「何と、この者は既に、疱瘡を済ませているではないか」

若だんなは布団の上で頷くと、疱瘡神が酷《ひど》く悲しげな表情を浮かべた。それで若だんなは、丁寧に説明をする。

「あの、私は多くの病に、罹って居るのです。疱瘡は幼い頃に済ませました」

一度疱瘡に罹った者は、二度罹りはしない。つまり疱瘡神を恐れずに済むのだ。たとえ若だんなでも、もうこの病にだけは罹らないのだ。

「おやおや、こりゃいかん、これでは我が来ても、話など聞いてはもらえぬわ」

「話、ですか？」

若だんなは声を掛けたが、神はああ駄目だと、一人ぼやいている。

「時花神、行くぞ」

連れへ声を掛けると、疱瘡神は、さっさと庭へ向かった。

「あの、いいのですか？」

驚いていると、時花神が慌てて後を追う。途中、駆けつけて来た兄や達へ、疱瘡神は一寸《ちょっと》目を向けはしたが、二人が妖《あやかし》だと分かったのか、また首を振る。そして自ら、木戸の外へ出て行ってしまった。

「……話って、何だったんだろう」

「大丈夫ですか、若だんなっ」

病を押っつけられたりしなかったか、脅されなかったか、兄や達は慌てて問う。若だんなが首を横に振ると、二人はほっと、大きく息をついた。それから佐助が庭へ、転がっている屏風のぞきを拾いに行く。若だんなが、側に来た仁吉に問うた。

「あの、疱瘡神というのは、疱瘡の神様だよね。じゃあ時花神って、どういうお方なの？」

寸の間眉間《みけん》に皺《しわ》を寄せてから、仁吉は答えてくれた。

「時花神というのは、病が流行したときなどに、人から盛んに祀《まつ》られる神の事です」

ある神に縋《すが》ればいいと噂《うわさ》が広がると、皆がその神を拝みに押しかける。しかし病が快癒《かいゆ》すれば、人はその病から離れる為《ため》、関わった神を、外へと送り出してしまうのだ。

「つまり花のように、一時もてはやされ、祀られる。だが病の恐ろしさが過ぎた後は、うち捨てられる神なんです。だから時花神と呼ばれているのですよ」

「そういう祀り方もあるんだ」

若だんなが目を見張る。

「神迎え、神送りをするという事でしょうか」

仁吉が静かに言った。つまり今見た時花神も、どこぞで疱瘡が流行ったときに祀られ、流行が収まると共に、その地域から送り出された神なのだろう。

「疱瘡神が連れてました。この後は、どこぞの大社《たいしゃ》の隅にでも、入れて頂くのかも」

また疱瘡が流行り、人がその存在を思い起こし、持てはやす日まで。八百万《やおよろず》も神がいると言われている国では、その神の身もまた、はかない事があるらしかった。

若だんなは、恐ろしき神の連れだというのに、何となく時花神の話が心に掛かって、二人が消えた木戸へと顔を向ける。その間に佐助は妖を屏風へ戻し、珍しくも明るく笑いかけた。

「屏風のぞき、鳴家に聞いたぞ。今回は勇気のある事をしたな」

今日、屏風のぞきは、若だんなを守った。全く敵《かな》わなかったとはいえ、名の知れた病の神に、一介の妖が立ち向かったのだ。褒められた妖は、屏風の中で少し照れたような顔をした後、ちょいと首を傾げた。

「なんだかねえ、最近若だんなを見ると、借りがあるというか、返さなきゃならないものがある気がして……妙な感じなのさ」

どうやらそれで、勇気をふるってくれたらしい。

「あれ、私は屏風のぞきに、何か貸したかな？」

若だんなが首を傾げると、「さあ」と言って、当の妖も肩をすくめている。するとそこへ、鳴家やら織部《おりべ》の茶碗《ちゃわん》やら、疱瘡神から隠れていた妖達が、姿を現してきた。

「きゅげ、怖かったようぅ」

妖達は、昨日も、その前も怖かったと半泣きになっている。兄や達は頷くと、長崎屋縁《ゆかり》の妖達と共に、若だんなの布団の周りに集まり、話し合いを始めた。

「若だんなには、怖い神達に目を付けられる覚えは無い筈です。ならばどうして剣呑な者達が、こう次々と長崎屋へやって来るのか」

三回も重なったとなると、もう偶然という言葉で片付ける訳にはいかなかった。

「今日はたまたま現れたのが、若だんなが平気な疱瘡の神だったから助かったが」

しかし何度も罹る病は、この世に数多《あまた》あるのだ。もしこれからも、あんな者達がここへ来るのなら、この長崎屋は閉めるしかなくなる。

守狐の言葉に、妖らから悲鳴が上がった。いつの間にか座っていた野寺坊《のでらぼう》が、大きく溜息《ためいき》をつく。

「そんなことになったら、我らは誰から酒を貰《もら》うのだ？　誰が、鍋《なべ》をご馳走《ちそう》してくれるのだ？」

「仁吉、佐助、私は大丈夫だよ」

「ぎゅぴー、お菓子は？」

「心配するのは、そういう事だけか」

庭の稲荷《いなり》から、様子を見に来ていた守狐らが、しっぽで鳴家達を打つ。小鬼らが噛みつき返したものだから、布団の脇《わき》で皆が組み付きあい、妖の団子が出来て、ころころと廊下を転がっていった。

「ありゃ」

若だんなは止めたが、仁吉と佐助は、そんな騒ぎには見向きもしない。しばし、目を針のように細長くして話し込んだ後、佐助が、いがみ合っている妖達に声をかけた。

「皆、頼みが出来た故《ゆえ》、ちょいと集まってくれ」

「ぎゅい、呼ばれたから、今日の所は、これで勘弁してやるんだぁ」

声と共に、妖の団子が崩れる。守狐らに、ぼこぼこに殴られた鳴家達が、若だんなの後ろへ隠れてから、気の強い言葉を小さな声で言った。守狐がまた拳固《げんこ》を見せると、鳴家達が引っ込む。兄や達はその様子に構わず、皆に用件を告げた。

「手分けして、病の噂を集めてきてくれないか」

剣呑な病の元が、何人もこの通町を歩き回っているのだ。既に怖い病が流行っていても、おかしくはない。かの神達が何人いて、どうして通町に集ってきたのか分かれば、若だんなが何故《なぜ》疫神《えきじん》らに襲われたのかも、知ることが出来るかもしれない。兄や達はそう考えたのだ。

「この先も菓子が欲しければ、喧嘩《けんか》をするよりも、流行病を調べてくれ」

仁吉の言葉を聞き、鳴家達は大きく頷《うなず》くと、「きゅい、一番っ」と言い、真っ先に飛び出していった。屏風のぞきや守狐達まで「やれ忙しい」と言いつつ、後に続く。だが、皆は縁側で、直《す》ぐに立ち止まった。

「ぎゅんいー、何人いるか分かりました」

庭の木戸の外から、今出て行ったばかりの鳴家の声がしたのだ。驚くべき早さで調べが付いたらしく、報告があるという。

「おい、何を言ってるんだ！」

こんなに早く、何が分かるのか。ふざけているのかと、屏風のぞきが怖い顔となって庭へ降り、木戸へと突き進む。そして木戸を開けた途端、顔を引きつらせた。

四角く開いた戸口の向こうで、鳴家は腰につけた着物を摑《つか》まれ、手にぶら下げられていたのだ。鳴家を持っていたのは、先に長崎屋へ現れた、あの疫神であった。そして疫神の後ろには、他の恐ろしき神らも、姿を揃えている。

「きゅげ……五人いた」

鳴家が声を震わせる。小鬼を人質に取った疫神らは、揃って長崎屋の中へ入ってきた。

3

その直ぐ後のこと。長崎屋の離れに、見舞客が現れた。

「一太郎《いちたろう》さんが、また病に罹ったという噂を聞いたんで、様子を見に来たんですわ」

そう言って久々に顔を出してきたのは、小乃屋《おのや》の七之助《しちのすけ》であった。

七之助は、わざわざ友の栄吉《えいきち》が作った大福《だいふく》を、安野屋《やすのや》で買ってきてくれた。明るい七之助は、いつも気が利《き》くし、若だんなが病で頭も上げられぬような時は、長居もしない。大変ありがたい友であった。

だが今日の七之助は、若だんなが布団《ふとん》から体を起こし話せると分かると、それは嬉《うれ》しそうな顔をした。どうやら余程話したい事があると見て、若だんなは笑って話を促す。有《あ》り体《てい》に言うと、七之助はまるで、総身の重さを感じていないかのように、浮かれていたのだ。

「実はなぁ、そのなぁ、一太郎さんに聞いて貰いたいことが、できましたんや」

実は、実は。七之助の顔が紅色《べにいろ》に染まる。

「私、嫁を貰うことになったんよ！」

七之助は話しながら、もの凄《すご》く照れていた。

「これは、おめでとうございます」

若だんなが直ぐに祝うと、友は待ってましたとばかりに、大きく頷く。

「驚くほど嬉しゅうて、己でも意外なほどや。今回の話、以前にも一回あったんやけど、その時は先方がうんと言わず、流れた話やったんよ」

相手の娘御は、上方《かみがた》にいた頃の幼なじみで、千里《ちさと》というそうだ。

(か、上方の娘御……)

布団の上に座っていた若だんなは、突然胸が苦しいような思いに駆られ、訳が分からず首を傾《かし》げた。

(あ、れ？　私ったら、どうしたっていうのかしら？)

先だっては、屏風のぞきが、若だんなに、借りがある気がすると不思議なことを言っていた。若だんなも、最近少しばかり、説明のつかない気持ちになることがある。若だんなは戸惑《とまど》っているのだが、誰に何と言えばいいのか分からず、その気持ちを心の奥にしまっていた。

(変……なの)

だが七之助は、己の思いに夢中らしく、昔の上方での事を語り続けた。

「まだ上方にいた時、分家もままならん男の息子では、不足やと言われて、相手の親から断られた」

親御は娘を、さっさと他の男へ嫁がせる事に決めてしまった。実はその縁談は、後日流れてしまったのだが、それでも親は次の相手に、七之助を選ばなかったのだ。

「はて、その方が、急に江戸へいらっしゃる事に、なったんですか？」

茶と菓子を運んできた仁吉が、若だんなにもう一枚、綿入《わたい》れを着せつつ、首を傾げて問う。すると七之助は、苦笑を浮かべた。

「そうなんや。実はな」

縁組みの話が消えた後、七之助の父は江戸へ移り、分家して店を開いた。商売は今、上手《うま》くいきつつある。つまり七之助は、お店の跡取り息子となった訳だ。

「そしてな、千里さんの二度目のお相手。先だって病で、急に亡《な》くなったんやと」

上方で、流行病《はやりやまい》が猛威を振るったらしい。千里は、そろそろ婚礼という頃になって、また縁談を失った。親は娘のために急ぎ、次の嫁ぎ先を探さねばならなくなったのだ。

しかし、これはという似合いの年頃の男には、既に相手が決まっている。

「ははあ、千里さんの親御はそれで、江戸にも目を向けたんですな」

「以前縁談を断られた事は、おとっつぁんも知ってます。だからその縁談が上方から来た時、いい顔せんかった」

今の七之助には、良縁が幾つもあるのだ。小乃屋はこの先、お江戸で商いを続けてゆく。おかみの実家は、小乃屋の近くにあるお店の方が望ましい。親がそう思っていることを、七之助は承知していた。ところが。

「なんやしらん、最近急に、胸が締め付けられる思いがしてきましてな」

なんでっしゃろなぁ、この気持ちと言い、七之助はうっとりとした眼差《まなざ》しで、縁側から晴れた空を見つめている。青空が、甘い砂糖菓子にでも見えるのか、とろけそうな表情であった。

「花を見ても、風を感じても、道ばたで飴玉《あめだま》を買っても、千里さんを思い出すようになってしもて」

何故だか、千里にずっとずっと、涙がこぼれる程、惚《ほ》れていた気がしてきたのだ。幼い頃は確かに好きであった。だが正直に言うと、これ程とは、己でも思っていなかった。

「ああ、千里さんと口にしただけで、玉子まで甘くなりそうで」

「きゅんべー？」

「はて、そんなに恋しいお相手がいると、七之助さんは今まで、話しておいでてでしたっけ？」

仁吉は首を傾げるが、とにかくそういう気がしてきたのだと言い、七之助は明るい顔で頷く。

「で、私は親を説得しまして」

幼なじみだから、親も千里をよく知っている。七之助が是非にと言うと、折れてくれたのだ。

「ということで、縁談がまとまりました」

若だんなは、七之助がお江戸で得た最初の友人だ。だから一番に知らせたかったと言って、やたら嬉しげな顔で手を取ってくる。若だんなは、友の手を握り返した。

「本当におめでとうございます。これはというお祝い、考えますすね」

許嫁《いいなずけ》が江戸に来たら、紹介して下さいねと言うと、七之助が何度も頷いた。

小乃屋の出自は上方だが、江戸は数多の人々が流れ込んでくる地だ。町はこの地に落ち着いてゆく者達を受け止め、一回り、二回りと大きくなっている。七之助に子が生まれ孫が育てば、やがて小乃屋も長崎屋のように、江戸者の店となってゆくのだろう。

「実は、最初はこの機会に、一太郎さんにも縁談を一つ、持ってこられるかと思ってたんやけど」

「え、私に縁談ですか」

仁吉と若だんなが、顔を見合わせる。ここで七之助は、先に上方で流行った病は、随分酷《ひど》かったようだと口にした。千里の許嫁だけでなく、一時はその友、かなめという娘の縁談相手も病に罹《かか》り、危なかったらしいのだ。

「千里さんの文《ふみ》に書いてあった。もしかなめさんも一人になったら、一緒に江戸へ来たいと」

それならば、互いに寂しい事がない。

「かなめさん、綺麗《きれい》な娘や言うし、家は上方の大店《おおだな》。ならば一太郎さんの嫁に、ぴったりやと思うたんやけど」

しかし、かなめの許嫁は回復した。早々に婚礼をあげると決まり、千里はその祝いをしてから江戸へ来るらしい。

「ごほっ、おめでたい話ですね」

ここで若だんなは、不意に胸が痛くなり、咳《せ》き込む。何だか、心の奥の奥を締め付けられたような心持ちがしてきて、随分と咳《せき》を繰り返した。

(どうしたんだろう。何で今の話が、こんなに気になるんだろうか)

若だんなは、七之助の許嫁など会ったこともない。ましてや上方にいるという、その友、かなめの事など、今初めて聞いたのだ。なのに、どういう訳だか、多分この後も、生涯会う筈《はず》のないその人の名が、妙に気に掛かって……頭から離れなかった。若だんなの咳が、しばし止まらなくなったので、七之助が慌《あわ》てて離れの縁側から立ち上がる。

「これは、まだ長居は禁物やな。一太郎さん、もう少ししたら、また伺いましょ」

心得た顔で、友は木戸から姿を消す。すると、長崎屋の離れの奥から、一旦《いったん》隠れていた顔ぶれが姿を現してきた。

まずは疫神《えきじん》。

次に禍津日神《まがつひのかみ》。

その後には疱瘡神《ほうそうがみ》と時花神《はやりがみ》。

そして更に、鬼のような容貌《ようぼう》の者が、後から現れる。風伯《ふうはく》と呼ばれる者で、その口から吐く黄色い息を浴びると、病になってしまうと言われていた。

ここで佐助が、若だんなの昼餉《ひるげ》だという土鍋を手に、離れに現れる。するとその背に隠れるようにして、いつもの妖《あやかし》の面々が、若だんなの寝間に入ってきた。ただ、妖達は若だんなの背に回り込むと、恐ろしい者達からなるべく離れる。

疫神達は、若だんなから随分と離れて座るよう、仁吉から釘《くぎ》を刺された。剣呑《けんのん》な五人は襖《ふすま》を開けた向こう、隣の部屋に落ち着くと、未《ま》だ捕まえたままの鳴家《やなり》をぶらぶら振って、若だんなに見せてくる。それから拳《こぶし》を握りしめつつ、断言をした。

「な、分かったであろう。今の者も、そうであっただろう？　この通町に居る者らは今、〝恋しい〟という気持ちに、取っ憑《つ》かれておるのだ」

「単に七之助さんが、縁談に浮かれているようにしか、思えませんが」

佐助は長火鉢で粥《かゆ》を煮ながら、つれない返答をした。

鳴家を人質に取った疫神らは、先程離れに上がり込むと、若だんなに、話があると言ってきたのだ。疫神らが、今は病をばらまかぬと約束したので、若だんなは仕方なく頷き、兄や達は黒目を細くして身構える事となった。

七之助が来て途切れた話を、また恐ろしい神らは語り出す。それは思わぬ事であった。

疫神らは、何と恋を語り始めたのだ。

「愛《いと》しい、恋しい、お大切という気が、今この通町界隈《かいわい》に蔓延《まんえん》しておる」

「はい？　恋？」

「おまけにその気持ちは、いたく強いものでな」

恋する気持ちは身を強くし、病を跳ね返す力を増すらしい。今この界隈では、縁組みがそれは多く、まとまりだしている。恋に落ちる男女は、日々増えつづけているのだ。

おかげで、名の知れた病の神が五人も集まったのに、通町にはとんと病が流行っておらぬと、禍津日神がぼやく。

「若だんなは、高名な大妖《たいよう》の孫と聞いた。大妖殿がお仕えする荼枳尼天《だきにてん》様にお頼みして、この奇妙な状態を何とかしてくれぬか」

通町に満ちる、浮いた気持ちの元を突き止め、それを打ち払って欲しいと言い出したのは、疱瘡神だ。つまり元のように、皆が病に罹りやすい日々にもどす手伝いをしろと、そう言うのだ。

「はあ？　どうして私がそんなことを」

若だんなが顔を顰《しか》める。すると疫神が、人質ならぬ妖質を見せ脅そうとして……目を丸くした。

暫《しばら》く捕まっていた鳴家は、摑まれている事に飽きたらしく、逃げ出す事にしたのだ。腰に巻いた着物を摑まれていたので、それを脱ぎ捨て、裸で若だんなの袖《そで》の内に逃げてきた。

若だんなが慌てて手ぬぐいを裂き、鳴家に渡していると、風伯がふっと溜息《ためいき》を吐《つ》く。やっぱり妖を盾に脅しても駄目かと漏らしてから、口元に歪《ゆが》んだ笑みを浮かべた。

「禍津日神、だから言っただろう。若だんなは一応人なのだ。人に病をもたらす片棒を担《かつ》げと言われても、はいそうですかとは、なかなか言えぬさ」

だから、と、風伯が言葉を続けた。長火鉢の上で土鍋《どなべ》が湯気を吐き、部屋に美味《うま》そうな香りが満ちた時、その湯気を挟んで、風伯は驚く提案をしてきた。

「我らの望みを叶《かな》えてくれたら、若だんなにお返しをしよう。そうさな、我らは五人いる。だから若だんなが五つの病に、罹らぬようにしてやろうよ」

若だんなはこの先、風邪をひかぬようにもなれる。

「随分と助かるだろうが。言う事を聞いた方がいいとは思わぬか」

風伯は笑うように言い、仁吉と佐助が、くいと片眉《かたまゆ》を引き上げた。だが、問われたのは若だんなであるからか、横から勝手に返答をするようなことはしない。部屋の内が寸の間、静まりかえる。

すると若だんなは布団の上で、にこりと笑みを浮かべた。そして佐助を見て、そろそろ粥が出来たかと問うた。

「はい？　ええ、もう煮えておりますが」

「ならば佐助、病を広めたいという皆さんにも、差し上げておくれな」

「……よろしいのですか？」

若だんながいいと言うならと、佐助が椀《わん》に、ぞんざいに粥を注いでゆく。

「おや、これはこれは」

疫神達は、若だんなに笑みを向け、嬉《うれ》しげな表情で手を差しだした。

「つまり、承知なのだな？　若だんなが罹りたくない病五つ、直《す》ぐに教えてくれても構わんぞ」

疫神が機嫌良く言う。妖達が、息を呑《の》んだ。

4

ところが。

「わあっ」

大声と共に、疱瘡神は椀を投げ出したのだ。こぼれ出た熱い粥が、近くにいた鳴家に掛かった。小鬼は悲鳴を上げ走り出すと、屏風《びょうぶ》に突撃し、粥でくっついてしまった。

「何をするっ、それはただの粥ではない。小豆粥ではないかっ」

疱瘡神は赤を嫌うと言われている。つまり赤い小豆は、疱瘡神を避ける為《ため》の食べ物であった。

また、小豆は身を養うと言い、胃の腑《ふ》を丈夫にすると言って、兄や達はよく、若だんなの為に入れる。つまり、赤い小豆の入った粥は病除《やまいよ》けであり、眼前の者達皆が、大いに嫌うものでもあるのだ。

「これが答えか。我らに協力はせぬと言うつもりか」

「私はずっと、本当に長く、病で苦しんできております。その病を、より多くの人にばらまく手伝いなど、する訳がありません」

若だんなにきっぱりと言われ、口をへの字にした疫神が、いいのかと兄や達に問う。するとまず仁吉が、ここふたつきの内に、若だんなが罹った病を、声に出して数えだした。

「高熱」「嘔吐《おうと》」「疝気《せんき》」「癪《しゃく》」「風眼《ふうがん》」「歯痛」「頭痛」「肺痛」「風邪」「胃痛」。

「一年の内なら、もっとずっと、多くの病に罹っておりますね。軽いものは、一々覚えておらぬ程です」

つまりここで、若だんなが罹る病が五つばかり減っても、正直な所、大して変わりは無かろうと思われる。となれば仁吉は真っ当な判断のもと、若だんなの味方であった。

「犬神の方は、どう思っているのだ？」

風伯が問うが、佐助は直ぐに返答もしないで屏風に近づき、少し粥が固まった鳴家を引きはがす。そしてそれを、長火鉢の灰の中に立てたのだ。

鳴家に付いた粥は、軽く炙《あぶ》られると美味《おい》しそうな匂《にお》いを立てた。すると、仲間の小鬼達が囓《かじ》って食べたので、鳴家は目出度《めでた》く動けるようになる。

「ああ、良かった」

小鬼が膝《ひざ》に乗ってきて、若だんなはほっとした声を出す。佐助はようよう風伯の方を振り向くと、怖いような笑みを浮かべた。

「もし、だ。もし若だんなの病を心配するのなら、もっと良き方法があるとは思わないか？　意に染まぬ事をやって、御身らに五つの病から遠ざけて貰《もら》うより、確実な方法だ」

例えば病の大本《おおもと》、人々に禍《わざわい》を振りまく元凶《げんきょう》を、思い切って絶《た》やしてしまえば、世の中の病人は助かるのではないか。佐助がそう言って笑うと、五人が身構える。

「たかが犬神のくせに、我ら五人を相手にするというのか」

「佐助だけが相手になるとは、言ってない」

横から仁吉が口を挟み、その声に励まされるように、他の妖達も歯をむいた。長崎屋の離れは、一気に剣呑な場と化してゆく。

すると。

「あのぉ、双方待ってください」

ここで、ゆったりとした声が、止めに入ったのだ。若だんなは自分で小豆粥をよそうと、恐ろしい五人へ、もう一度椀を差し出した。

「嫌わずに、一口どうぞ。存外美味しいですよ。食べ終わったら、今度は私の話を聞いて欲しいのですが」

自分にも、話したいことがある。五人に関係がある話だと言われ、疫神達は一寸《ちょっと》黙った後、興味を示した。だが、やはり小豆粥を食べるのは嫌なようで、小鬼達の方に差し出すのだが、一匹捕まって怖いめにあった鳴家は、なかなか近寄って来ない。

その内、意を決したように禍津日神が椀を手にする。一口食べると黒目を寄せ、「甘くない」と言い、首を傾《かし》げている。若だんなは笑って、疑問に思っていることを問うた。

「あの、そもそも神である皆さんは、何で今、この通町へ集まったんですか？」

恐ろしき神々がこんなにも大勢集まるとは、いつにない事であった。すると神達は、通町に集っているのは己達だけではないと、そう言ったのだ。

「表へ出て見てみや。色々な者どもがおるゆえ」

「色々……？」

若だんなは兄や達と、顔を見合わせた。

「ああ沢山の者達が、橋を通ってゆくこと」

小半時《こはんとき》の後。着ぶくれた若だんなと兄や達、それに恐ろしい五人と、人の振りをした妖達は、長崎屋の表に出ていた。

長崎屋の木戸を出て少し歩いた堀沿いで、若だんなは佐助が置いた木箱に座り、今の通町がどうなっているのか、皆と京橋川《きょうばしがわ》に掛かる京橋辺りを眺めていたのだ。

三本横並びになった橋脚《きょうきゃく》の上に、緩く太鼓《たいこ》型になった主桁《しゅげた》部分が見え、そこを急ぎ足の商人や野菜を担いだぼて振《ふ》り、親子連れなどが通ってゆく。その後を、何気ない様子で痩《や》せた男も歩いていた。

「ああ、あれは風邪の神ですね」

時花神が、その姿を指した。風邪の神は、時花神と同じように、人から追い払われる事のある病の神だ。風邪が流行《はや》ると、病が治るよう、紙で作った風邪の神に見立てた人形を川などに流す。居て欲しくない神を払うのだ。

だが今、風邪の神は暢気《のんき》な様子で、ほてほてと橋を渡り、通町へやってきていた。

更に眺めていると、その後ろから歯病の神が姿を現す。暫くすると、富裕や豊作をもたらすという大黒神《だいこくがみ》や恵比寿神《えびすがみ》までがやってくる。仁吉によると、道の向こうから来るおなごは、縁を司《つかさど》る弟橘姫命《おとたちばなひめのみこと》だという。

更にお稲荷《いなり》様もいたし、人形に化けた河童《かっぱ》に鬼、狐《きつね》に狸《たぬき》も、日の下、堂々と大きな通りを闊歩し橋を渡ってきた。

「これは……確かに妙ですね」

佐助が顔を顰めた。確かに京橋辺りは、人通りの多い場所ではある。しかし、だ。

「通町はこんなに、神も悪神《あくじん》も妖も混じって、行き来している場所でしたっけ？」

長年長崎屋で働いているが、こんな光景は見たことが無いと、口元を歪めている。

すると仁吉も、通りへ鋭い視線を送った。

「ここまで節操なく、人でない者達が行き交うのは、妙だな。これでは病をもたらす者達も、集まって来る筈だ」

二人の兄や達は、顔を見合わせた。

「いつの間に、こんなことに……」

きっと少しずつ、変わっていたのかと思う。しかし若だんなは寝てばかり。兄や達は商売と若だんなの世話にばかり目を向け、気づかなかったのだ。

兄や達は戸惑うような顔つきになると、もう一度辺りへ目を向ける。それから疫神達を見て、仁吉は問うた。

「御身らは、どうして急に、この辺りに集ったんですか？」

「どうしてって……たまたま次は、ここへ来ようかと思ったまでだ」

疫神が答える。

禍津日神《まがつひのかみ》が同じ事を言う。

次に疱瘡神《ほうそうがみ》までが、全く同じ事を言う。時花神《はやりがみ》も疱瘡神の連れなので、同じだ。神送りされ、その地から払われた所なのだそうで、疱瘡神に伴われ、元居た地から、さる大社に移る途中であった。

風伯に聞けば、また同じ答えが返ってきた。

「全員、偶然同じ時に、同じ場所へ来たというんですか？」

ふざけているのか、まともに答える気がないのかと、佐助が怖い表情を浮かべる。

すると、ここで仁吉が通りを見つつ、質問を重ねた。

「では別の聞き方をしましょう。疫神《えきじん》方は、どの方向から長崎屋へ来たのかな？」

北東の、日本橋《にほんばし》の方角からか。それとも、新橋《しんばし》方面、西側からか。この問いには時花神が、あっさりと答えた。

「西側からですよ。ほら、今も西から大勢が、橋を越えてくる」

「分かりました。で、どうしてここに留まっているのですか？　疫神らは、もっと北、日本橋へ行くつもりはないのですか？」

するとと五人は顔を見合わせ……やがてゆっくりと首を振った。

「我らとて、好きにどこでも行ける訳ではないのだ。特に、日本橋にいる橋姫《はしひめ》は気丈でのう、なかなか我らを通してはくれぬ」

「つまり、すぐそこの京橋におわす橋姫は、あなた方を通してくれたんですね？」

仁吉が、皆が、京橋にまた顔を向ける。京橋の上には、多くの人が通っていた。人も神も禍も妖《あやかし》も言祝《ことほ》ぎも一緒くたであった。縁を司る神も、病を連れてくる神も、良きことも禍も、全《すべ》てこの通町に、流れ込んできていたのだ。

佐助が、呆然《ぼうぜん》とした声を漏らす。

「橋というのは、結界の一つだった筈《はず》だ。橋は橋姫によって、守られているもの。あの京橋も、同じだと思うたが」

古来、古き橋には神が宿るものなのだ。ところが。

るんだ？」

「誰も彼も好きに通れるなんて、京橋の結界はどうなってるのか。橋姫は、何をして

慌《あわ》てて目を凝らした途端、佐助が口をへの字にする。驚いた事に、橋には姫の存在が感じられなかったのだ。

「橋の主《あるじ》がいない！　結界が、かすんでしまってますね」

多分そのせいで、皆気軽に町へ入ってきているのだ。しかしもう一つの橋、日本橋を渡る事は出来ず、この町に集まったまま、余所《よそ》へは行けずにいる。若だんなが目を見開いた。

「つまり、それで恋が流行っている訳？　病も悪運も、この通町に簡単に入ったはいいけど、出られずにいるってこと？」

「おやおや、そういう次第だったのか」

訳が飲み込めたと言い、当の神達までが頷《うなず》いている。今、通町は、京橋の橋姫によって、守られてはいなかったのだ。

5

長崎屋の離れで、兄や達と若だんな、疫神達五人、それに頑張って顔を出した屛風のぞきが、輪になって話し合っていた。

皆は先刻《せんこく》、京橋辺りで橋姫を探した。姫に、何故《なぜ》京橋を守っていないのか、事の次第を聞きたいと思ったのだ。ところが。

「橋姫ときたら、どこへ行ったんでしょう」

仁吉が溜息《ためいき》をついている。橋では今も神が祀《まつ》られている様子だったから、橋姫がこの江戸から、消えた訳ではなさそうだ。しかし肝心の姫が見つからない。しかたなく長崎屋の妖達は、多くが橋姫捜しに出かけていた。

そこへ、疫神達から、おずおずとした声がかかる。

「あのぉ若だんな。つまり京橋からなら、縁結びの神達も出て行けるのだろう？　この地から出るよう、頼んでみては貰えぬか」

そうすれば病が流行って嬉《うれ》しいと五人は言う。だが佐助は怖い顔を向け、仁吉はにべもなく言い切った。

「通町が居心地が悪いなら、己達が出て行けばいいじゃないですか」

「そ、そんなぁ」

見放された疫神達は、泣き言を言う。

「我らが一緒に消えたりしたら、町から一時、病が吹っ飛んでしまうぞ！」

危機感を総身で表した疫神に、佐助が笑みを向けた。

「それは嬉しいことで。若だんなが病から解放されます」

すると、恐ろしき四人の連れという感じで、少々小さくなっていた時花神が、珍しくも口を開く。

「残念、そうはなりませんよ」

「おや、何故かな？」

「人は、己の身や家族のことを、真っ先に考える生き物ですからね」

それ自体は良き事なのだろう。だが、そういう考えだと、一つの町だけから病が消えるという話には、ならないのだ。時花神は断言した。

「その町に住めば、病にならないと聞けば、江戸中から病人がここへ、集まってくるでしょうね」

やがて増えた病人は、恋の力をかき消す。

「この町は気が付けば、病の巣窟《そうくつ》になっているでしょう」

仁吉が眉間《みけん》に皺《しわ》を寄せる。横から禍津日神が、それも良いかといって、へらりと笑った。

「病人は、江戸からだけでなく、日の本全《ひのもとすべ》てから押しかけて来るようになるぞ。そういうとき、人は勝手になる。うつる病を抱えていても、人にうつしつつ、通町へ来ようとするだろうよ」

己が、家族が助かるのであれば、余所に目を向ける余裕をなくす者は、多かろうと言い、禍津日神は恐ろしい笑みを浮かべた。すると仁吉と佐助が顔を見合わせ、大きく頷いたのだ。

「つまりこのままでは、通町を流行病から救えないんですね。若だんなを病から守ることも、無理なんだ」

ならば、この恐ろしき五人の神を、ここで倒した方が良いのかもしれない。仁吉達の目が、針のように細くなったのを見て、神五人は揃《そろ》って身を引いた。

「その性、正しき者が、きちんと祀れば、我、禍津日神は厄除《やくよ》けの守護神ともなる身なのだぞ。知っておろうが」

だが神は今も、厄災をもたらす身のままでいる。

「つまりこの世は、正しい者で満ちている訳ではないようだな」

禍津日神がそう言い切ると、辺りに、ひやりとした風が吹き始める。長崎屋の離れが、時ならぬ薄暗がりに沈みそうになった。

その時。

「きゅぴーっ」

「うひゃあっ」

突然数多の鳴家《やなり》が、部屋に駆け込んできたのだ。頭を踏んづけられ、蹴《け》られ、恐ろしき神達が悲鳴を上げる。鳴家達は興奮していて、離れにいつもはいない邪魔な者達は、家具か畳、布団《ふとん》と同一に見なされ、踏まれていったのだ。

禍津日神もせっせと踏まれ、離れの影も暗さも、一気に吹っ飛んでしまった。

「ぎゅいっ、一大事！」

「橋姫、いた」

「通町にいた」

「姫の周りに、男が好きなおなごと、おなごが好きな男がいた」

「おなご三人、男、五人！」

「……数が合わないね」

鳴家達を膝《ひざ》に抱き上げた若だんなが、眉尻《まゆじり》を下げて兄や達を見る。若だんな自身が困っている時以外は、大層冷静で頼りになる兄や達は、落ち着いた意見を述べた。

「どうやら、京橋から縁結びの神々が入って来たので、揉《も》め始めたようですね」

恋の威力が増し過ぎたのだろう。跳ねるような気持ちが重なっている所に、妖や鬼や禍《わざわい》までが顔を出し、喧嘩《けんか》と化したのだ。佐助と仁吉が溜息をつき、鳴家達が大いに頷いた。

「ぎゅい、表、凄《すご》く危ない」

「若い娘達、喧嘩してる」

「きいいいって、笊《ざる》、投げてる」

「怖い、鳴家、怖い」

でもお菓子は飛んでいなかったといって、鳴家が何匹か、若だんなの袖内《そでうち》に入り込む。すると後ろから、少し疲れたような恐ろしき御仁達の声が聞こえた。

「おい、最初に相談したのは、我らだ。だから橋姫の事より我らの望みを叶えてくれても……」

「今、忙しいんです。お前さん方に構ってはおられませんよ」

「おい、放っておかれて暇になったら、若だんなに病をうつすかもしれんぞ」

「鳴家、怖かったろう。疫神達で、気晴らしをしてもいいぞ」

嚙《か》みついても踏んづけても、相手が妖であれば、病気をうつす事も出来はしまい。佐助が、小鬼にそう悪知恵をつけると、鳴家達は目をきらりと輝かせた。

「あいつら、怖く、ないの？」

「長崎屋の離れに時々遊びに来る、貧乏神の金次と同じくらい、怖い」

「じゃ、怖くない！」

鳴家に、大喜びでかぷりと嚙みついて来られて、疫神達は悲鳴を上げた。だが、下手に一匹を叩《たた》きのめしたら、鳴家達の怒りに火が点《つ》き、本気で一斉に向かってきそうだ。そのせいか、疫神達も酷《ひど》い事は出来ないでいる。

するとそこに、まだ帰って来ていなかった他の妖、野寺坊と獺《かわうそ》が顔を見せてきた。

「日本橋に近い方で、若い娘が、喧嘩の仲裁に回ってますぜ」

髪はたらしたまま、小袖に袴《はかま》姿と聞き、若だんなは先に見かけた、美しい人の姿を思いおこす。すると鳴家が、「それ、それ」と声をあげた。

「その人！　その人が橋姫」

「え……」

「姫は己が起こしてしまった騒ぎを、何とか収めようとしているのかな」

だが騒動の数は多く、それでなかなか、京橋へ帰って来られないのだ。

「たった一人で、何とか出来るのかしら」

若だんなが心配そうに言ったが兄や達は、そっけない。

「己で招いたことだから、仕方がありませんね。自ら刈り取るしかないですよ」

「でも仁吉、そもそも橋姫様は、どうして橋の結界を解いたんだろう」

橋の守り神橋姫ならば、結界が薄くなれば、人ならぬ者達が多く移動する事くらい、分かっている筈だ。

「なのに、なんで」

つまりはそこが、今回の騒動の大本、ことを解決するための、一番大事な一点なのだろうと、若だんなが言い出す。

「そりゃ……痛っ」

鳴家達に数多《あまた》嚙みつかれ、いい加減疲れた顔の禍津日神が、片手に鳴家をぶらぶらと提げつつ、吐き出すように言った。

「京橋の橋姫は、それは綺麗《きれい》な姫であられるからな。いい加減、橋を守ってばかりいるのも、嫌になったのではないか？」

「おや、橋姫とお会いした事が、あるんですか」

久しぶりに兄や達から、目を向けられた禍津日神は、話して欲しければ、小鬼達を何とかしろと言ってくる。若だんなが袂《たもと》のお菓子を見せ呼ぶと、やっと小鬼達が離れ、恐ろしい者達は息をついた。

「そりゃあ、会った事くらいあるさ。我らは病と禍を撒《ま》く者。通りから通りへ、町から町へと移ってゆく。あちこちの橋姫を、見知っておる」

病が流行し疱瘡神《ほうそうがみ》が時花神《はやりがみ》を連れて行った時も、一緒に京橋を通ったという。若だんなが少し首を傾《かし》げた。

「その時、橋姫様の様子、どうでしたか？」

「いや、どうかと問われても。いつも通り綺麗であった。愛想も良かったぞ」

はっとするほどに麗《うるわ》しい姫故《ゆえ》、会うのは恐ろしき神々にとっても、嬉しい事なのだ。もっとも京橋とて、いつもあっさり通して貰《もら》える訳ではない。

「江戸の町に張られた結界は多いのだよ。通りやすいところも、入りにくい場所もある。水の流れは場を区切り、そこに掛かる橋は、これもまた一つの結界であり、分けられた場を繋《つな》ぐものでもある」

社《やしろ》の鳥居《とりい》も一つの結界であるし、注連縄《しめなわ》で結界を張ることもある。盛り塩もそうだと言われている。しかしそれらは、人がたやすく行き来出来るものである故に、余り強い結界ではないのだ。

「だから我らは時に、その結界を越えてゆく」

病はうつってゆくもの。橋は全ての病を止められはしないのだ。

ここで兄や達が、いささかうんざりしたような目を、病をもたらす者達へ向けた。

「それにしたって、こんな御仁らを揃って通町へ入れるとは、京橋の橋姫も酷い」

「こ、こんなとは何だ。病とは、この世にあるものの一つではないか」

疱瘡神がふてくされた顔を、長崎屋の皆に向けた、その時であった。突然、じゃん、じゃんと江戸の空を渡る、堅い音がしてきたのだ。離れに居る皆が、腰を上げる。

「半鐘《はんしょう》の音！」

江戸の町々に火事を知らせる、待ったなしの響きであった。佐助が場所を確かめに、表へ飛び出し、鳴家や妖達も興味津々《しんしん》、鐘の鳴る方へと屋根伝いに出て行く。もし風向きが悪ければ、火元が少し離れていても、若だんな達は急ぎ逃げなくてはならない。

「音が近い。橋姫様は大丈夫なのだろうか」

時花神の呆然《ぼうぜん》とした声がする。揉め事の中で聞こえてきた鐘の音は若だんなに、浄《じょう》瑠《る》璃《り》や芝居の演目を思い出させた。

6

その時不思議な事に、半鐘の音が長崎屋へ近づいてきた。

「はて？」

離れの面々は首を傾げたが、じき、次第が分かってくる。その音は、鐘の音にとても似てはいたが、本物の半鐘の音では無かったのだ。

「このろくでなしーっ」

「あんたなんか、消えちまいなっ」

「止《や》めろっ、そんな大きな鍋《なべ》振り回してっ」

その声に、じゃあんっ、という剣呑《けんのん》な響きが重なって、疫神らが寸の間耳を塞《ふさ》ぐ。禍津日神が障子を大きく開け、母屋《おもや》の方へ目を向けた。途端、離れに居た一同が、驚きに顔を強《こわ》ばらせる。

喧嘩をしながら、長崎屋の店表の土間に、入り込んで来た者達がいたのだ。おなごが二人に、男が一人。人数が違うから、先に鳴家達が見かけた者達とは別口だろう。

「ひええ、あの女、金槌《かなづち》を持ち出してきてる」

屏風《びょうぶ》のぞきが顔を強ばらせた。

「おお、対抗する女は、その金槌を鋳物《いもの》の鍋で防いでいるぞ。それで半鐘みたいに、じゃんじゃんと音が響いてるんだな」

疫神が、興奮気味に言う。

笊が飛び交う喧嘩は多くても、金槌が登場するような痴話《ちわ》喧嘩など、若だんなは見た事がない。さすがに危なっかしくて、店にいる長崎屋の面々も、直《す》ぐには止められない様子であった。

見れば店には、火事を確かめに行った佐助がいるのだが、喧嘩には興味も無い様子で、さっさと離れへ戻ってきた。その顔が、何時《いつ》になく怖い。

「やれやれ、鍋を持った女の後ろ、道の右手に、菊理媛神《くくりひめのかみ》がいましたよ。縁結びの神徳がある方です」

金槌女の左手には、良縁の神、稲田姫命《いなだひめのみこと》が立っていたそうだ。双方の存在にあおられたのだろうか。何時にない喧嘩は、じゃんじゃんというきつい音と共に、まだ続いている。

いや表へ目を向けると、通町のあちこちから、不穏な争いの風が空に向け、巻き上がっているかのようであった。大声が聞こえる。剣呑な音がする。

すると開け放たれた障子の先、空へと目を向けた疫神《えきじん》や禍津日神《まがつひのかみ》が、大きく溜息《ためいき》をついたのだ。

「こりゃ、拙《まず》いことになってきたのぉ」

病をもたらし、禍を運ぶ神達が、いかにも弱ったように言う。それを見て、屏風のぞきが少し、驚いたように目を見開いた。

「沢山の者達が、争って、いがみ合ってるんだぜ。あんた達が、どうしてそれを嫌がるのさ」

禍をもたらす者が、禍を嫌うのか。問われた恐ろしい神達は、顔を見合わせた。

「神が二人も騒ぎにかかわるとは、いくらなんでも常にないことだ。町には恵比寿神《えびすがみ》方が来ていた。じき、動き出すであろう」

禍が大きくなりすぎれば、通町はとにかく一時、他の神達によって、平静な状態に戻されるに違いない。つまりもう、疫神らが流行病《はやりやまい》を広めることが出来なくなるというわけだ。

「とにかく当分は、出来ない」

やれやれ、こういう結末になったかと、疫神らは渋い顔になる。

「それは良うございました」

仁吉は笑顔になった。だがここで、狼狽《うろた》えた声が離れに響く。時花神であった。

「しかしそれでは橋姫様が、恵比寿神に叱《しか》られてしまうかもしれません。いや、それくらいの事では済まないかも」

声が震えている。

橋姫は今回、橋の結界を守れなかった。橋擬宝珠《はしぎぼし》には神が宿ると言われ、人々から祀《まつ》られてきたのに、やるべきことをしなかったのだ。

それでは人々の思いを受け止める、橋の神とはいえない。橋姫とはいえない。このままでは橋姫は、京橋の橋姫では、いられなくなってしまうかもしれなかった。

「そんなことになったら……あの橋姫様は、どうなるのです？」

するとそれに答えたのは、兄や達でも、若だんなでもなく、隣にいた禍津日神だ。

その目が、いささか意地悪そうで怖い。

「時花神、御身らは、人に祀られた時はもてはやされ、その町に居られるが、病の流行が収まれば、神送りされる。その土地を出されてしまうだろう？　橋姫も、同じ立場となるやもしれんな」

「……京橋の橋姫様は、消えてしまうかもしれないのですか」

時花神の声が、呆然としてか細い。じゃんじゃんという、剣呑な音は、まだ表で続いている。

「あの綺麗な姫に、そんな運命は似合わない。とにかく喧嘩を止めましょう」

時花神はそう言って、立ち上がった。だが、禍津日神は首を振る。橋姫が、どうして結界を解いたのかが、分かっていない。橋の行き来が自由な状態で、一つ二つ喧嘩を止めても無意味であった。

　ここで争う音を聞きつつ、時花神が若だんなの方へ、縋《すが》るような眼差《まなざ》しを向けてくる。若だんなは腕を組み、考えこむ事になった。

「きゅい、橋姫、結界作っている事に飽きたんだぁ」

「結界、作り方忘れたのかも」

「きゅわ、面白いから解いてみたとか」

「なるほど……いろんな考え方が出来るもんだね」

　小鬼達の勝手な言葉に、若だんなが何度か頷《うなず》く。すると褒められた鳴家が懐《ふところ》から顔を出し、「一番、一番ーっ」と、嬉《うれ》しげに芝居がかった仕草をした。

　途端、若だんなは橋姫が無茶をした訳を、一つ思いついたのだ。そして先に思い浮かべた、芝居の話を始めた。

「皆さんは、八百屋お七《しち》の話を、承知されているでしょうか」

「お七？」

「芝居にも、浄瑠璃にもなった話です」

　火事で避難したおり出会った寺小姓《てらこしょう》と、また会いたくて、付け火したと言われる娘、お七の話だ。

「それが？」

皆が、首を傾げる。

「会いたくても会えないとなると、お七のように、無茶をする者は多いようです。橋姫様は、橋の神。いつも橋を守っておらねばなりません。橋からそう遠くへは行けないでしょう」

つまり、もし会いたい者が出来ても動けない。ならば、相手に来て貰うしかなかろう。そう、結界を解いてでも。

「は？　橋姫が無茶をしたのは、恋故だというのか？」

風伯が驚いた顔で問う。だが、直ぐに己で、続きを口にした。

「そういえば、縁結びの神、良縁をつかさどる方々が、妙に集まって来ておるな」

あれは橋姫の気持ちに、引きつけられたのだろうか。

「本当に、そんな相手がいるのか」

「いるんだろうな。実際、騒ぎが起こっておる」

風伯のつぶやきを聞き、今度は疱瘡神が口を挟む。

「だが姫が、誰を恋うたというのだ。その者の為《ため》にわざわざ結界を解いたとなれば、相手は人ではあるまい。解く意味がないからな」

そして、相手は普段、橋の結界に阻《はば》まれる者だという事になる。

「その者を、京橋の橋姫が通したとする。日本橋の姫はいつも通りに結界を張っているから、その者は来たまま出て行かず、暫《しばら》く通町に居つづけることになる」

「おお、そういうことか！」

ここで剣呑な神達が、皆で大きく頷いた。

「なるほど。しかし禍津日神、それでは余分な者達も来てしまうぞ」

「風伯、だから町に騒ぎが起こっておる」

「おお、ほら今も店表《たなおもて》でおなごが、水桶《みずおけ》を振り回しておるぞ」

「あれあれ、橋姫は誰を好いて、こんな事にしてしまったのやら」

すると、だ。その時店から、小僧の悲鳴が聞こえた。母屋の方へ目を向けると、喧《けん》嘩《か》に夢中になった者達が、店に上がり込んでいるのが目に入る。客達が、金槌から逃げていた。

「これは拙い」

佐助が表へ走り出た。すると。

「あ……」

佐助より一足先に通りから店へ入ってきた者がいて、びっくりする程短い間に、事を収めたのだ。驚く疫神達の横で、仁吉がつぶやく。

「あのお方、恵比寿神ですね」

「おお、大物の登場だ。尊き神が騒ぎを収め始めた。では橋姫は、危ないな」

つまり橋を守るべき橋姫が、勤めを放り出し騒ぎを起こした事を、他の力ある神に知られてしまったのだ。橋姫はその罪を問われかねない。それは離れにいる者達全《すべ》てに分かったようで、全員が顔を見合わせる。時花神が、狼狽えた声を出した。

「橋姫様のために、何か出来ないでしょうか。どうにかならないでしょうか」

橋姫を助けたいと、時花神は何故《なぜ》だか強く言い、仲間の恐ろしい神々へ目を向ける。しかしそっぽを向かれたものだから、困り切った顔で、最後に若だんなへ頭を下げてきた。

「何か良き考えは浮かびませんか？　もし若だんなが姫を救ってくれたら、我が病を一つ、若だんなから持ち去りましょう」

真剣な言葉を聞き、若だんなは静かに口を開く。

「もしかしたら、まだ間に合うかもしれません」

とにかく橋姫が、直ぐに結界を戻す事だ。そうすれば、町は以前のように守られてゆく。その上で恵比寿神方に深く謝ったら。まだ、大きな禍《わざわい》とはなっていないが故に、事は静かに収められるかもしれなかった。

すると風伯が、眉《まゆ》を顰《ひそ》める。

「だが、今結界を戻すくらいなら、端《はな》から消したりしないよな」

もし、恋しい相手の為にやっているのだとしたら、今は戻さないだろう。橋姫は、まだ誰ぞと添っていないし、きっと、気もちを相手に伝えてもいないのだ。ここで禍津日神がこう言い出した。

「おお、ではその恋しい相手を、強引にこの通町から出すってのは、どうだい？　で、騒ぎになった故、二度とこの町には、来ないと言い置く」

そうして相手が消えてしまえば、橋姫は正気に戻るかもしれない。いや、元に戻るしかなくなる。しかし、疱瘡神は首を振った。

「だが、相手が分からないぞ」

その時、また表から騒ぎが聞こえて来て、恵比寿神がそちらへ向かい、時花神の顔が強ばる。もう余裕がない。若だんなが、相手は存外近くにいるのではと口にした。

「おや、恋しい相手が誰か、若だんなにはわかるのか？」

禍津日神が笑うように言う。すると若だんなはゆっくり頷き、真っ直ぐに目の前の者達を指さしたのだ。

「お相手は、表だって恋しいと言えないお方です。つまり橋姫様が守っている人々にとって、恐ろしい御仁なのです」

「は？　我々？」

「へっ？」

だが、結界がきちんと張られていた時でも、たまには橋を通り、橋の主《あるじ》と出会う力のある者に違いない。

「皆さん、京橋を通った折りに、姫と会われたのでしょう？」

「それはそうだが……我らは今までに何度も、姫と会っている。急な恋心だな」

「今でなければ、ならなかったんです」

若だんなが、五人の内、たった一人を見つめた。

「時花神《はやりがみ》、橋姫様が恋しいのは、あなただと思います」

神送りされてしまえば、もう京橋には戻っては来ないかもしれない者。疱瘡神《ほうそうがみ》と共に去るから、今回、町に止めなくては、二度と会えなくなる御人なのだ。だから無茶を承知で、橋姫は時花神を止めようとしたのではないだろうか。

「この考え、外れていると思いますか」

若だんなが、静かに言う。名指しされた時花神は、ただ目を見開き、返答もできず、立ちすくんでしまった。

「はて、はて、はて、はて。時花神が、この大騒ぎの大本だとな」

風伯が、「あっは」と大きな声を出す。

「おお、これは面白い考えだ」

四人の恐ろしき神々は、誰も若だんなの考えを否定などしなかった。それどころか少々意地悪そうな顔で、この後どうする気かと、さっそく時花神に問うたのだ。

「恋の為に橋姫は今、窮地に陥っている」

「だが若だんなが、間に合うかもと言うたぞ」

神々は底光りのする恐ろしい眼差しで、時花神を見据えた。疫神の面白がっているような声が聞こえてくる。

「橋姫を救いたければ、時花神が今すぐ、姫にも会わずに橋を渡って、遠くへ去ればいいのだ。うん、きっとそうだ」

すると風伯が、「いやいやいや」と言葉を挟んだ。

「そうもつれなくしては、橋姫が悲しむだろう」

大騒ぎを引き起こした真剣な恋心に対し、それはないと恨むかもしれない。いや時花神とて、こうも強く思われたのなら、もう一度くらい会いたい筈《はず》ではないか。一日くらいは共に過ごし、一年くらいは添いたいものではないか。

「少しくらいはと思うよなぁ」

疱瘡神は、ただにやにやと笑っている。禍津日神が、口元を歪《ゆが》めて言った。

「橋姫が危ないというのは、推測だ。本当にそうなのかどうかは、分からんぞ」

「……でも、今表で実際、酷《ひど》い騒ぎになってますよね」

町内のあちこちで揉《も》め事が起こっているのは、時花神にも分かる。実際恵比寿神方が来ていたのだから、橋姫が騒ぎを引き起こしたことは、きっと神々に分かっている。もう知れている。

だがここで、疱瘡神がにっと笑った。

「橋姫は、恵比寿神に知れても、我が身が危うくなっても、それでも御身に会いたいと、そう思っているかもしれぬぞ。いや、きっと思っておる」

いやぁ、良いなぁ、羨《うらや》ましいなあと、疱瘡神は言い出す。

「そこまで我が身に恋してもらっていたら、我は会うぞ。それのどこが悪い」

御身はどう思うのだ。八つの目が、時花神に向けられる。離れの他の者達も、真っ直《す》ぐにその姿を見ていた。

すると。

時花神は立ち上がったのだ。そして若だんなの側《そば》へ寄ると、その両の肩を摑《つか》んだ。

「若だんな、これからこの地を去る故《ゆえ》、後のことを頼みます」

きっと、叶《かな》う限り早くこの通町を出て行く。橋姫に会いに行ったりはしない。そんなことをして、橋姫を少しでも危うくするつもりはないのだ。

「だから、それでも橋姫様が危うくなったら、頼むから助けてあげて下さい」

有無を言わせぬ、時花神の頼みであった。

「その代わり、今若だんなが罹《かか》っている病くらいは、持ち去ってさしあげよう」

「おいおい、行ってしまったら、多分二度と、お前さんは京橋の姫に会えないよ」

風伯が横から一言入れる。それは神送りされる者にとって、多分間違いのない事実であった。禍津日神《まがつひのかみ》も溜息《ためいき》をつく。

「そこまで良き者になる必要が、どこにある。橋姫とて望んではおるまいよ」

せめて一度だけ、会ってゆけばよいのに。きっとそれくらい、大丈夫に違いない。時花神が、一日長く止まった為に、恵比寿神に見つかり、叱責《しっせき》されても、橋姫は後悔しないだろう。己が始めたことだからだ。

「なあ、そうに違いないよ」

禍津日神が、やんわりと言った時であった。時花神は、その神の方へ振り返る。

「どうせ私は……」

その後は言わなかった。

「用済みの身、もう必要の無い神だと？」

もう消えるだけの神であるからかと、禍津日神が、問う。時花神が言葉を続けた。

「でも最後に……もの凄《すご》く堪《たま》らなく、嬉《うれ》しくなりました。まだ私に、守れる者がいたんです」

だから。その一言を最後に、時花神は長崎屋の離れから駆けだしていった。

後も見ずに、もう一言も残さずに、出来うる限り早くに、橋姫の結界から駆け出て行こうとする。姫を守ると決めたら、毛筋一本の心配も減らし、やれる限りのことをしようとしているのだ。

若だんなは立ち上がり、その背を目で追った。

(時花神が消えて、二度と会えなくなったら、きっと橋姫は悲しむね)

己の推測が間違っているとは思わなかった。その答えは多分、程なく出る。時花神が消え、その事実を知った橋姫が結界を元に戻したら、それは恋しい相手を失ったという告白なのだ。

(だが、万に一つ私の考えが間違っていても……もう二人は会えないんだ)

やはり危ういと思っても、一目だけ、無理してでも会わせるよう、計らった方が良かったのだろうか。だがそこに、恵比寿神方がやって来たら、どうしたらいいのか、若だんなには分からない。

若だんなは離れから出ると、店表に向かった。京橋は店から程近い。表の通りに出ると、走って去る時花神の後ろ姿が目に入る。橋の上でも、止まりはしなかった。必死に、全力で駆け抜けてゆく。

「ああ、もう見えなくなって……」

橋に、橋姫はいない。二人が会うことは、もうない。後悔も出来なくて、でも、迷う間もなかったあの時、他の何かを探せなかったのか、あれこれ思いがよぎる。

時花神は走り去り、道にその姿はなくなった。若だんなは暫くの間、誰もいない京橋をただ見つめていた。

やなりいなり

序　やなりいなり

やなり稲荷《いなり》。
長崎屋《ながさきや》の稲荷に住む、守狐《もりぎつね》らの得意料理。

・用意するもの
あげ　三枚。
米　一合（かっぷ一杯）。
季節の青菜（わさび菜、菜の花など）。
酢　八分の一合（かっぷ八分の一杯）。
山葵《わさび》粉。

調味料。

海苔《のり》。

昆布。

・用心するもの
やなり稲荷は、全《すべ》て己《おのれ》達のものだと思い込んでいる鳴家《やなり》達。守狐らとの喧嘩《けんか》に、注意すべし。

・作り方
(あげの甘煮《うまに》。六枚分)

あげの上で箸《はし》を転がしてから、長い方の辺を残すように、細長く二つに切る。中を慎重に開いた後、湯通しして油抜きをする。

だし汁(かっぷ一杯半)、きび糖など茶色い砂糖大さじ三と半、味醂《みりん》大さじ二、醤《しょう》油《ゆ》大さじ二を用意。

だし汁を熱くした鍋《なべ》に、あげと砂糖を入れる。火を少し弱くし、鳴家四匹に、六十ずつ数えてもらう(四分)。

それから味醂と醤油を入れ、落としぶたをして、煮汁がほぼ無くなるまでゆっくり煮る。少し冷めたら取り出し、軽く絞って、皿に並べておく。

(酢飯)

米は昆布を加え、いつものように炊《た》く(一合)。

一かっぷの八分の一の酢に、砂糖大さじ一弱、塩小さじ半分を、あらかじめ溶かしておく。

青菜をさっと塩ゆでし、絞って、細かく切っておく。

ご飯が炊きあがったら昆布を取り除いて、お櫃《ひつ》へ(無い場合は、ぼうるへ)入れる。用意した酢を回しかけ、手早く混ぜる。細かく切った青菜を酢飯に混ぜ、山葵粉を加えて、味をととのえる。

(味見をすると言って、鳴家が全部食べてしまうことのないように、見張っていること)

飯が乾かないように、濡《ぬ》らして固く絞った布巾《ふきん》を、お櫃に掛ける。

(やなり稲荷を仕上げる)

長い形のあげに半分ほど、出来た酢飯を詰め、くるりと巻いて形をととのえる。細長い稲荷寿司《いなりずし》が出来上がるので、半分に切って皿に盛る。

稲荷寿司の上に、細く切った海苔で、鳴家の顔を描く。腕の見せ所ともいう。

これにて、できあがり。まず最初に、若だんなに食べてもらうべし。


(注意)

あげは破れやすいので、鳴家には開かせないこと。

仁吉《にきち》は胡麻《ごま》入りの酢飯、佐助《さすけ》は柴漬《しばづ》けを細かく切ったものを、酢飯に混ぜたものも好み。

1

こん、こんっ、こん、こん。

江戸は通町《とおりちょう》にある長崎屋の離れでは、最近、若だんなの咳《せき》が続くようになった。どうも夜、よく眠れないのだ。

すると兄《にい》や達は直《す》ぐに若だんなを、炬燵《こたつ》と掻《か》い巻《ま》きに埋めてしまった。寒いから動くなと言われ、部屋から出して貰《もら》えない。若だんなはとんと食欲が湧《わ》かなくなり、それで兄や達はまた心配を重ねる。

すると昼前になって、庭先から声を掛けてくるもの達がいた。

「こん、こんという声を聞きましたので、我らをお呼びかと思いまして」

そう言って笑みを向けてきたのは、若だんなの母、おたえの守狐達であった。

長崎屋の先代の妻おぎんは、齢《よわい》三千年の大妖《たいよう》なのだ。よって長崎屋の庭にある祠《ほこら》には狐たちがいて、娘であるおたえを守っている。そして孫である若だんなを守っているのは、数多《あまた》の妖《あやかし》達であった。

「おや守狐、何を持ってきたんだい？」

兄やの一人、その本性は白沢《はくたく》である仁吉が、ふさふさとした尾の主《あるじ》に尋ねる。もう一人の兄や、犬神《いぬがみ》の名を持つ佐助も目を向けると、狐達は得意げに大振りな皿を差し出してきた。

「風邪気味だと、なかなか食べたいという気持ちが湧かないでしょう。でも、とびきり美味《おい》しいこれなら、きっと食べられますよ」

皿に載っていたのは細長い、稲荷寿司の山であった。

「守狐特製、やなり稲荷です」

守狐達が、若だんなの横に置かれた長火鉢《ながひばち》の、猫板《ねこいた》の上に皿を置く。〃やなり〃という言葉を聞いて、長崎屋に巣くう小鬼の鳴家達が、わらわらと天井から降りて、若だんなの掻い巻きによじ登ってきた。

「きょわわ、稲荷寿司、細いよ」

「美味しそう。きゅんいー、稲荷寿司の上に、海苔で顔が描いてある」

「我に似てるな」

「きゅげ、我にも似てる」

「そっくり、我に、そっくり！」

鳴家達は皆、この稲荷寿司は、己を真似《まね》て作られたのだと言いだし、嬉《うれ》しげな顔をしている。若だんなは「こんっ、こん」と咳をしつつも、楽しそうに笑みを浮かべた。

「こほっ、本当にかわいい、稲荷寿司だね。さすがは守狐達、おあげを使った料理、上手だ」

「勿論《もちろん》です。狐こそ、あげの一番の料理人です」

自信満々に言うので、ならば直ぐに皆で食べようと、小皿に取り分ける。よくある俵型のものと違って、あげを長く半分に切って、細く巻いてある稲荷寿司は、何だか格好が良い。しかし、小さな鳴家達には少々持ちにくいので、若だんなが稲荷寿司を、箸で小さく輪に切って皿に載せた。すると、鳴家達はきゅわきゅわと声を上げ、端から稲荷を抱え込む。

「きゅい、あげが甘い」

「酢飯に山葵が混ぜてあるのか。このあげと一緒に食べると、いける味だな」

「本当だね、佐助。こんっ、美味しい」

皆で褒めたものだから、狐達はぐっと口の端を引き上げ、得意げな表情を浮かべる。

だがその時、「きゅんわ？」と声を上げると、鳴家の一匹が突然、食べるのを止《や》めた。

「おや、どうしたんだい？」

屏風《びょうぶ》から出てきて、己もやなり稲荷を食べていた付喪神《つくもがみ》、屏風のぞきが首を傾《かし》げる。

だが小鬼の視線の先を見ると、やはり食べる手を止めた。

「何だい、ありゃ」

狐達が持ってきた大皿には、まだたっぷりと、稲荷寿司が盛られている。その皿の上に、どこからか手が現れ、寿司を摑《つか》もうとしていたのだ。

だが、その手は何故《なぜ》だか、一つの稲荷寿司すら摑めてはいなかった。手は寿司を包むのだが、どういう訳だかそのまま通過してしまい、持ち上げられない。それで手は、困ったようにひらひらと動きつつ、宙にとどまっていた。

「ぎゅぺー、あれは何？」

「手だけしか見えないけど、あの手の主《あるじ》は誰なのかな。それとも、どうしてあの手が稲荷を摑めないのか、そっちを考えるべきなのかしらん」

若だんなはこの離れで、小さい頃から妖達と暮らしているものだから、不思議には慣れている。よって今も、落ち着いて炬燵に入ったまま、ゆったりと驚いていた。

「こらっ、我らが作ったやなり稲荷を、勝手に取ろうとするんじゃない！」

馴染《なじ》みの妖の手では無いと思ったのか、守狐達が、しっぽでその怪しい輩《やから》を打ち払おうとした。ところがその一撃もすかりと、怪しい手をすり抜けてしまう。

離れにいる皆は顔を見合わせ、寸《すん》の間《ま》黙ってしまった。ただ、万物を知ると言われる白沢、仁吉一人が片眉《かたまゆ》を上げ、じっとその怪しげな手を見つめる。

「ああ、あの手は、幽霊のものだと思います」

「きゅわっ、ゆーれい？」

「まだ夜じゃないのに、化けて出たのかいな。気の早いのが居たもんだ」

鳴家と屛風のぞきは、顔を見合わせている。

「でも、この世の者では無い者が、どうして食べ物に手を出しているのやら」

幽霊ならば、もう食べる必要など無いはずなのにと言い、若だんなは手を見続けている。すると鳴家達が長火鉢の周りに散って、稲荷寿司の皿と妙な手を取り囲んだ。その背後を、更に守狐達が囲む。

「こいつ、鳴家が捕まえる。きゅわっ、どうして鳴家の稲荷寿司盗《と》ろうとしたのか、白状させるんだ」

「おい鳴家、幽霊をどうやって捕まえるつもりなんだ？」

佐助が呆《あき》れた表情を浮かべたが、幽霊と戦う気満々の鳴家達は、その問いなど聞いてはいない。小鬼達は稲荷寿司と幽霊の手へ、一斉に飛びかかった。

「きゅげーっ、とつげきっ」

「あ、やなり稲荷が……」

若だんなが声を上げたその時、仁吉がさっと皿を手に取り、稲荷寿司を救う。だが不可思議な手はそのまま、長火鉢の所に残ったから、鳴家達は、そのぼんやりした形に向かい殺到した。しかし。

「おや、やっぱり触るのは無理か」

小鬼達が手に触る事も出来ず、ころころと長火鉢の横に転がったのを見て、佐助が首を振る。

「きゅぎーっ」

鳴家達は悔しそうな声を上げ、直ぐに立ち上がった。すると、動きを止めた手の近くから、含み笑いが聞こえてきた。炬燵に入ったままの若だんなが、兄や達と顔を見合わせる。

「あれま、声がするじゃないか。手だけがこの世に残った訳じゃ、なさそうだね。今は見えないだけで、頭も胴もある幽霊のようだよ」

若だんなは試しに、どこの誰なのかと、手しか見えない幽霊に尋ねてみる。しかし喋《しゃべ》る気にはなれないのか、返答がない。

いやそれどころか怪しい手は、仁吉の持っている、稲荷寿司の載った皿へ、懲《こ》りずにまた近づいてきた。どうやら、どうしても稲荷寿司を掴みたいらしく、兄や達の機嫌が悪くなる。

「幽霊のくせに、若だんなの稲荷を盗る気か！」

屏風のぞきが手を叩《たた》こうとしたが、やっぱり触れられずに空振りをする。鳴家が噛《か》みつこうとして、これまた失敗をしてしまい、畳の上に転んでしまう。すると幽霊は、妖達を小馬鹿《こばか》にしたかのように、大きく笑った。

「くうっ、我らが触ることが出来ないからって、こちらを見下しているのかい」

「きゅんいー、悔しい、酷《ひど》いよう」

鳴家が地団駄を踏むと、不可思議な手は妖らを煽《あお》るように、ひらひらと宙を舞う。小鬼らが、更に大きな鳴き声を上げた。

すると、その時。

若だんなが久々に炬燵から出て立ち上がり、部屋に置いてある文机《ふづくえ》の前に行って、小引き出しを開けたのだ。中から紙を一枚取り出すと、若だんなはさっと長火鉢の横に行き、未《いま》だにうろついていた不可思議な手を、見下ろした。

「この手、本当に幽霊なのかしらん」

そう言うと手に、ぺたりと護符《ごふ》を貼《は》ったのだ。

「うわぁっ」

部屋内に声が響いた途端、若い男の姿が畳の上に現れた。妖達が、「おお」と声を上げる。

「広徳寺《こうとくじ》の寛朝《かんちょう》様は、寄進《きしん》大好きの変な御坊《ごぼう》だ。だけどお書きになった護符は、ちゃんと効く。本当に高僧なんだよねえ」

若だんなが、深く頷《うなず》いた。

「ところで、見た事の無い幽霊だね。誰か知ってるかい」

兄や達より少しばかり年上に見える幽霊は、子持縞《こもちじま》の袷《あわせ》を着ていた。職人やぼて振《ふ》りなどには見えないが、どういう素性の者なのか、直ぐには判別がつかない。

「ぎゅんべ、へたれ顔、知らない」

「何だか気の弱そうな幽霊ですね」

「お、着物を摑めるぞ。これは多分、殴ることも出来るに違いない」

妖達は言いたいことを言いつつ、厳しい顔つきをして、幽霊を取り囲む。すると護符を取ることも出来ない幽霊は身を縮め、「あれ、怖いことを言う」と言って、半泣きになった。若だんながそれを見て、眉尻《まゆじり》を下げる。

「いつまでも護符を付けたままじゃ、可哀想《かわいそう》だ。取ってあげよう」

だが幽霊は不意に、大して困ってもいないから、取らなくてもいいと言い出したのだ。そして手をそうっと、稲荷寿司の方へと伸ばし、一つつまむと、ぱくりと食べた。

「へえ、護符を嫌ってないと思ったら、お寿司を食べたかったの？」

若だんなは呆れ、少し食べたら早めに護符を剝《は》がすんだよといった。何しろと護符の説明をし始めた時、横から仁吉が、ぱしりと幽霊の手の甲を打つ。

「若だんなの寿司だ。やたらと食べるんじゃないぞ」

幽霊が痛がってうめくのを、生まれて初めて耳にした若だんなは、言葉をとぎらせた。

2

寸の間の後、護符を貼られた幽霊は、長崎屋の皆から、大きな溜息《ためいき》をつかれることになった。

「お前、己が誰なのか、本当に分からないの？」

「どうして長崎屋に、化けて出たのかも、思いだせないと？」

佐助や仁吉に、あれこれ問われた幽霊は、首を大きく傾げ、ぼやき始めた。

「あたしったら、梯子《はしご》で頭を打っただけなのに、どうして幽霊になったのかな。ところでお前さん達、小鬼や妖に見えますが、本物なんですか？」

妖っているんですねえと言い、己も幽霊のくせに、大いに驚いている。

「ああ、周りは不思議な御仁《ごじん》だらけ。おまけに、ここに来た訳が思い出せないなんて、あたしって可哀想ですねえ」

「はあ？　そんなことを言う幽霊って、初めてだな」

溜息をついたのは屛風のぞきだ。

「とにかくお前さんは幽霊なんだから、死んだのは間違いなかろう。あとはそうだね、方向が分からぬ者だったんで、三途《さんず》の川への道を間違え、この世に迷い出たんじゃないのかい？」

するとその考えに、他の妖達が異を唱えた。

「きょげ、こいつはきっと、稲荷寿司《いなりずし》が食べたくて、この世に留まることにしたんです。食いしん坊幽霊です」

だから、やなり稲荷があった長崎屋に入り込んできたのではないかと、鳴家《やなり》達が言い出す。

「人を殺して、金を盗み、奉公《ほうこう》先から逃げ出したのさ。死にきれなくて、幽霊になったのかもしれないよ」

稲荷寿司を食われて不機嫌なのか、守狐《もりぎつね》の一匹が怖い考えを口にする。すると幽霊は、己はとっても良き人に違いないと、ふてくされた表情で抗議をした。

「だってさぁ、見るからに人の良さそうな顔を、してるじゃないですか。鏡を見てもないのに、どうしてそういう顔だと分かるのかって？　いや、己のことですからね、分かりますよ」

ここで屏風のぞきが、また違った考えを思いつく。

「そうだ、この口の減らない幽霊は、きっと恐ろしく繁盛《はんじょう》してない、髪結《かみゆ》いに違いない。あいつらときたら、おしゃべりだからさ」

「おや、そいつは面白い案じだ」

確かにと言って、佐助が笑い出した。髪を結う男達は、気に入りの髪結い床《どこ》に集って、まるで井戸端《いどばた》のかみさん達が話に夢中になるように、長く話している事が多い。将棋や囲碁をやり続けて家に帰らない、長っ尻の常連達もよくいた。

「きっとこいつは、髪を結わずに話してばかりで、稼げない奴《やつ》だったんだな。店賃《たなちん》が払えなくなって、店を畳んじまった。世をはかなんで、首をくったんだろうよ」

するとこの時幽霊が突然、己が死んだ後の話を勝手に作り出した。

「そうか、あたしは死んだんだね。ああ、ああ、なんてぇことをするんだと、悲しんだ人がいるね。きっと、おっかぁだ。お前は私の一人息子、母を残して死ぬなんて、余りに情けないじゃあないかとか、嘆いたに違いない」

幽霊は護符を貼ったままの手で、稲荷寿司の皿の横にあった手ぬぐいをひょいと取った。そしてそれを目に当て、老婆《ろうば》がよよと泣く振りをする。

「きゅんい、可哀想なおっかさん」

鳴家達が合いの手を挟んだ。すると幽霊は、身振りも大げさに、今度は若いおなごのような高い裏声を出した。

「あれまあ、ぬしさん、死んじまったんですかぁ」

あたしは裏の長屋の女髪結い。一つ年上なんで、己からは言い出せなんだが、ずっとお前さんを好いていた。ああ、こんなことになるんなら、どうして一言、心の内を伝えておかなかったのか。

幽霊は思い切り身をよじり、おなごの切ない思いを言いつのる。

「ぎゅわー、悲しいー」

鳴家達が声を揃《そろ》えると、幽霊は一段と張り切って、くねくねと娘っこのまねを続けた。手ぬぐいをそっと置き、目の前にいるはずの幽霊の母の手を取る。

「恋しいぬしさんは、先に死んでしまったけれど、おっかさんは、あたしの母も同然。この上は、この身を娘と思っちゃくれませんか」

「あれ、優しいことを言う。はい、お前を今日から、嫁と思うことにしようね」

「おっかさんっ」

娘役を演じている幽霊が、感極まった黄色い裏声を部屋中に響かせ、若だんなを母に見立てたのか、迫ってゆく。

すると。

腕に寒《さぶ》いぼを立てた佐助が、幽霊の頭に拳固《げんこ》を落とし、仁吉が大きな溜息をついた。

そして仁吉は、幽霊の一人芝居という世にも珍しいものを見て、ただびっくりしていた若だんなに、こう結論を告げたのだ。

「分かりましたよ若だんな。こいつの正体は、売れない寄席《よせ》芸人のなれの果てです」

幽霊の噺《はなし》はいささかというか、少々荒っぽくて、聞いた者が手放しで褒めるというものではなかった。だがその噺は、素人《しろうと》が好きで語る程度の芸ではない。身振りといい、声の出し方といい、よく訓練されていたのだ。

「うん、この慣れた喋り方、きっと玄人《くろうと》なんだろうね」

若だんなと妖《あやかし》達が頷いた横で、守狐が眉尻を下げた。

「けど、それにしちゃ、噺がぱっとしなかったねえ。己で作った新作かい？　この幽霊、芸に華がないよ」

「ふんっ、知ったような口をきくじゃないか。狐に噺の善《よ》し悪《あ》しがわかるのかい」

幽霊がちょいと気色《けしき》ばむと、向かいにいた守狐の一匹が、幽霊に苦笑を向ける。

「おい幽霊さん、己の噺のどこに不足があるかも、分からないのかい。そんな間抜けだから、早死にしたのさ」

今の噺、どうにも退屈だったと、守狐ははっきりと言う。

「なんだとっ、大口を叩くなら、お前さんが噺してみせろや」

そう言うと守狐は、どこからともなく、さっと扇子《せんす》を一本取り出す。そして、身の前に横に置き、若だんなへ深々と頭を下げた。

「何のご縁か、一席を弁ずる事になりました。では絵本噺山科《えほんばなしやましな》から一話。粗忽長屋《そこつながや》でございい」

守狐達は何しろ、長きにわたって生きてきた妖であった。何時《いつ》、どこで覚えたのか、同じ長屋に住む、そそっかしい八っつぁんと熊《くま》さんの噺を、おもしろ可笑《おか》しく語り始めたのだ。

行き倒れを、熊さんだと思い込んだ八っつぁんが、熊さん当人に事の次第を告げるのだが、この守狐、扇子を振りつつ、なかなか堂に入った語りをした。

「熊さん、お前はな、昨日の晩に死んでいるんだよ。夜、何をしていた」

「気味の悪い事言うなよ」

守狐は八っつぁんになり、また熊さんに変わる。そして、ぽんぽんと小気味よく噺を進めていったのだ。

「きょん、きょん、面白い」

「いっちばーん」

「おお、ほいきた」

鳴家達が、明らかに守狐の方を面白がっているので、幽霊は口をへの字にし始めた。じき、守狐の語る熊さんは、噺の中で己自身の死体を抱き、いよいよ有名な落ちを語り始める。

「うーん兄貴、分かんなくなったぞ。抱かれているのは確かに俺なんだ。だが、抱いている俺は、いったい誰なんだろう」

守狐が、有名な噺を最後まで語り終ると、離れの妖達が大きく沸いた。

「いよっ、守狐。上手《うま》いもんだっ」

「こいつは、随分と差があったな」

幽霊は口を尖《とが》らせ、またやなり稲荷を手に取ると、勝手にもぐもぐと食べ始めた。

「ありゃ、拗《す》ねてやがる」

これでは並の人と変わらないと、守狐達が呆《あき》れる。幽霊はその守狐に、ぺこりと頭を下げた。

「その、この稲荷、大層美味《うま》いです」

頭を下げられ、自慢の逸品を褒められると、食べるなとも言えないらしい。守狐はしょうがないなと言って、あきらめ顔で皆に茶など淹《い》れ始めた。

すると許しが出たと思ったのか、幽霊はどんどんやなり稲荷を食べ続ける。鳴家達よりも景気よく食べるものだから、しまいに仁吉が手を伸ばし、幽霊に貼った護符をさっと剝がしてしまった。その瞬間、姿はそのまま見えていたが、幽霊の手は稲荷寿司をすかりと通り過ぎ、摑《つか》むことが出来なくなる。

「あれ兄やさん、意地悪しないで下さいよう。その護符、貼っておいてくれませんか」

するとこん、こんと咳《せき》をしつつ、若だんながやんわりと幽霊を止めた。

「あのねえ幽霊さん。それは高僧がこしらえた、妖封じだって言ったよね。つまり霊《れい》験《げん》あらたかな護符なんです」

付けた途端、並の幽霊じゃ無くなったということは、その護符は幽霊に効いたということであった。つまりそんなものを付けつづけていたら、その内成仏《じょうぶつ》して、あの世に行くことになりそうなのだ。

「幽霊でいるのも、つらいのかな。その方がいいなら、こん、仁吉に貼り直してもらうけど」

いや、やはり早く御仏《みほとけ》の元へ行かないと、救われないのかなと若だんなが言い出したので、幽霊は慌《あわ》てた。

「い、いや。まだ拙《まず》いよ、そりゃ。要りません、護符、貼らなくていいです」

「……まだ？」

幽霊は、それでもちらとやなり稲荷を見てから、きっぱりと首を振った。それから一寸《ちょっと》目をつぶった後、暫《しば》くこの長崎屋でやっかいになりたいと、そう言い出したのだ。

「は？　どうしてそういう話になるんだい」

「だって仁吉さん、この身は幽霊なんですよ、はい」

つまり、だ。

「あたしには寝る場所がありません」

それでは困るので、暫くこの離れにいたい。それが幽霊の言い分であった。

すると妖達は、「勝手を言う」「ぎゅい、ここは我らの住みかだー」と、不機嫌な様子になる。若だんなは炬燵《こたつ》に入って、またまた驚いていた。

「あのぉ、幽霊にも寝床《ねどこ》が要るもんなの？　私はそういうこと、初めて聞いたんだけど」

「そういや、あたしも自分がなってみて、初めて知りました。はい、寝床が欲しいです」

若だんなは首を傾《かし》げたが、駄目と言ったところで相手は幽霊だ。勝手に長崎屋へ入ってくるのを、止める事も出来ないと思われた。

って堀に沈めるからな」

「置いて下さい。人のいるところがいいんですよぅ。だからこの離れがいい」

「やれやれ、人恋しい幽霊とは驚いた。おい、若だんなに害を及ぼしたら、護符を貼《は》

佐助に釘《くぎ》を刺され、幽霊は首を縦に何度も振っている。どうやら暫く、この離れに居ることになりそうだとみて、若だんなは稲荷寿司片手に小さく笑い出した。

「皆と居るんなら、幽霊と呼ぶのも名無しみたいで、落ち着かないね。ねえお前さん、何と言う名前なの？」

さらりと聞かれて、幽霊の顔が若だんなの方を向く。だが直《す》ぐに困ったように笑うと、己は死ぬ前のことを欠片《かけら》も覚えてはいないのだと、そう口にした。

「あれ、そうだったたっけ？」

若だんなはちょいと不思議そうな顔をしてから頷《うなず》くと、さて名をどうしようと、妖達に聞く。すると佐助が、口の端をあげた。

「こいつはどうも、寄席芸人みたいです。だから、熊さんと八っつぁんから取って、熊八《くまはち》と呼んじゃどうでしょう」

「あのぉ、あたしなら、もっと色男のような名が、向いているんじゃないかと……」

「きゅい、熊八だ。くまはちー」

妖達が熊八、くまはちと声を合わせて言い、こうして幽霊の名は、随分とごついものに決まった。若だんなは、またこんこんと咳を繰り返しつつ、行き倒れた噺家《はなしか》がいなかったか、噂《うわさ》をきいておくれと妖達に頼む。

「この世で迷ったままじゃ、熊八だって悲しいだろうし」

身元が分かり、幽霊になってしまった訳を知れば成仏しやすいだろうと、若だんなは皆に言ったのだ。佐助が深く頷く。

「やっぱり、我らが育てた若だんなは、お優しいですねえ」

兄や達二人が大切にするのは、一に若だんな、二にも三にも、四にも五にも、若だんななのだ。

「ですが、この幽霊がかんに障《さわ》る事があったら、言って下さいね。山程護符を貼って、御仏の元へ送り届けますから」

熊八が天井裏へ逃げて消えた。

3

お粥《かゆ》に、大根の煮物。味噌《みそ》漬け豆腐。

甘辛く味付けたあげを入れ、葱《ねぎ》をたんと入れたうどん。ぬかみそ漬け付き。熱々ご飯と具沢山の味噌汁、柔らかく煮付けた里芋。細く切って胡麻《ごま》をまぶした沢《たく》庵《あん》。

最近調子の悪い若だんなのご飯は、食べやすいものが続いていた。

そして今日、離れに運ばれた昼餉《ひるげ》は、玉子ご飯と納豆、それに味噌汁であった。鳴家《やなり》達も大好きであったから、若だんなの周りに集まり、分けてもらう。一杯目の黄色いご飯は、「きゅい、きゅい」と嬉《うれ》しげに声を上げた鳴家達が、ほとんど食べてしまったので、仁吉が手早く二杯目を用意する。すると、離れの内をふわふわ漂うようになった幽霊の熊八が、羨《うらや》ましげな目を茶碗《ちゃわん》に向けた。

「いいですねえ。玉子かけご飯を、おかわり出来るとは羨ましい」

玉子は結構高いものであった。蕎麦《そば》一杯は十六文《もん》、団子は一本四文だが、振り売りからゆで玉子を買うと、一個二十文ほどもする。玉子は、長屋住まいの膳《ぜん》には、そうは並ばない代物《しろもの》なのだ。

「うちじゃ若だんなの為《ため》に、庭で鶏を飼ってるからね」

鶏達はいつも、守狐《もりぎつね》達と追いかけっこをしていると言ったのは仁吉で、若だんなが鳴家達と共に、何とかご飯を食べきるのを見て、大きく頷く。それから手早く膳を片付け、食後の薬の算段を始めた。

「若だんな、まだ夜、よく眠れませんか？」

「うん、どうしても、目が覚めちゃうんだよ」

多分、それで若だんなは、なかなか調子が良くならないのだ。

「何で起きちゃうのかしらねえ」

同じ布団《ふとん》に入り込んでいる鳴家達は、毎日ぐっすり寝ている。離れには兄や達だといるのだから、家の内で剣呑《けんのん》な気配がして、目が覚めたということは、考えられないのだ。仁吉が心配げな表情を浮かべ、気合いを入れて薬を選んでいる。

江戸の夜は、木戸《きど》が閉まると静かなものだ。だが、それでも夜鳴き蕎麦など商《あきな》いをしている者はいるし、朝暗い内から商う者も、いや夜っぴて商う店すら、あるという話であった。だから調子の悪い若だんなの耳は、外の音でも拾ってしまうのかもしれない。

「熱は無さそうです。今日は薬を変えてみましょうね」

仁吉が食後の一服《いっぷく》を作り始めると、熊八がまた二人の側《そば》に降りてきて、興味深そうにその薬湯《やくとう》を覗《のぞ》き込んだ。

「こいつが、高いけどよく効くって噂の、長崎屋の薬湯ですか。凄《すご》い色してますね」

長崎屋は近郷近在に名を知られた薬種問屋《やくしゅどんや》で、そこいらの藪《やぶ》医者より確かな薬を作ると、評判であった。だが値段を聞き、幽霊は眉尻《まゆじり》を下げている。

「確かに長崎屋の薬は、本格的なものだから安くはない。それでも医者を呼ぶよりは、余程手頃だと思うけどね」

幽霊の表情を見て、仁吉は苦笑を浮かべている。医者の中には、長崎屋で作った薬を買って、それを患者に出している者もいるのだ。だが同じ薬でも医者から貰《もら》うと、値が違うそうだ。徒歩医者《かちいしゃ》と呼ばれるような、駕籠《かご》代を出さなくともよい医者でも、薬は一服二分《ぶ》、つまり二分の一両することもある。

「確かに駕籠を使う医者を呼んだ日にゃあ、一里も離れていなくたって、駕籠代を銀三十匁《もんめ》包みます。つまり、またまた二分の一両出さねばならねえって事ですし」

熊八が宙で溜息《ためいき》をついている。大工の手間賃が、一日銀五匁くらいであった。だから銀三十匁といえば、六日分にもなるのだ。長崎屋のような大店《おおだな》や、裕福な者でなければ、腕の良い医者など、なかなか呼べるものではなかった。

「だが、この店の薬がありゃあ、藪な医者など要りませんよね。そいつは万病に効きそうだし」

目を輝かせ、熊八がふわふわと浮きつつ、椀《わん》を見る。すると、薬を手に溜息をついていた若だんなが、笑い出した。

「あのね、長崎屋には何にでも効くという、調子の良い代物は置いてないよ」

病《やまい》によって、それぞれ効く薬は違う。それだけでなく、長崎屋のような真面目《まじめ》な店や医者では、病人の体質によっても調合を変える。本来薬は、病んだ当人をじっくり診察し、病人に合わせた調合をしなくてはならないものであった。

「そ、そうなんですか？　では今、若だんなが持ってる薬を貰っても、他の人には効かないって訳なんだ」

「よく効く薬湯は、強いものだ。下手をしたら害になりかねない。適当な薬を飲ませては駄目だな」

仁吉は、若だんなが薬を、全部飲むのを確かめてから、心配げな表情を浮かべる熊八に向け、言葉を足した。

「大丈夫だ熊八。世間によくある万能薬は、大概、毒にも薬にもならない程度のものだから」

大して効きはしないが、飲んだからとて、死にはしない。

「えーっ、つまりは役立たずってことで？」

熊八は、空になった薬湯の椀に手を伸ばしたが、やはり幽霊では掴むことが出来ない。それでも興味津々《しんしん》、匂《にお》いを嗅《か》ぐ素振りをしている。

「鳴家達はご飯が終わると、お八つ目がけて駆けてゆくのに。熊八は苦いお薬の話が好きだね」

「いや若だんな、その、長屋住まいじゃ、なかなか長崎屋の薬は買えないんで。つい珍しくてね」

「おや、熊八は長屋に住んでいたんだ。何か、思い出したの？」

「いや、その……そのそのその」

何だか困り果てた様子で、熊八は離れの天井近くを、ふらふらと飛んでいる。悩む幽霊というのも珍しく、若だんなが面白そうに眺めていると、天井近くから鳴家達が現れてきた。そして皆で、わらわらと若だんなの膝《ひざ》へ乗ってきたのだ。

「若だんなぁ、あちこちの家、行きました」

「ぎゅい、他の家の鳴家達に聞きました」

「死んだ噺家の事を、聞いたんですが」

「いませんでした」

鳴家達が揃《そろ》って頷く。

「海に落ちて、家に帰るのを忘れた間抜け」

「転んで頭打って、死んだ奴《やつ》」

「風邪でぽっくりいった、せっかちな芸人」

「とにかく最近、若い噺家の野辺《のべ》送り」

「きゅわきゅわ、無かったって」

鳴家達はうんうんと頷いた後、我らは凄く頑張って聞いてきたと言って、頭を撫《な》でてもらおうとしてくる。若だんなは優しく撫で、大いに褒めてから、懐《ふところ》から取り出した花林糖《かりんとう》を大きな木鉢《きばち》に盛った。すると木鉢は直ぐに、菓子より鳴家達で一杯になる。

「おや、熊八は寄席芸人じゃあ、なかったんですね」

変ですね、芸人にしか見えないのにと言って、仁吉は腕組みをしている。若だんなは眉尻を下げた。

「これじゃ、熊八を早々に、成仏させることは難しいねえ」

「だから若だんな、あたしはあの世じゃなくって、ここに暫くいたいんですってば」

「暫く？　熊八、どれくらいいるつもりなの？」

「若だんな、当分です。この世に用と未練が無くなるまで」

「やれ、何十年も居座られそうですね」

仁吉が大きく息を吐くと、熊八はへらへらと、天井近くで笑っている。だがその時、かっと目を見開くと、影の内に急に姿を消した。すると庭から、久しぶりに聞く声が響いた。

「若だんな、調子はどうかな……ありゃ、今日も炬燵とくっついて、綿入《わたい》れに埋まってるじゃないか」

それでも、身を起こしているのだから上々と、明るい声で笑ったのは、馴染《なじ》みの岡《おか》っ引《ぴ》き、日限《ひぎり》の親分だ。これはおいでなさいましと言い、仁吉が心得た顔で、直ぐに茶饅頭《まんじゅう》を運んで来る。親分は嬉しげな顔をして縁側に腰掛け、大いにくつろいだ。

「甘いものがうれしいねえ。若だんな、いやぁ、最近それはそれは忙しくってな」

何しろ、江戸へ大盗人《おおぬすっと》が来たという事で、奉行所では騒ぎが起こっているのだ。日限の親分も、その盗人を調べていると聞き、若だんなと仁吉は少しばかり身を乗り出した。

「そんな大事《おおごと》が起きていたとは。ちっとも知りませんでした」

「いや若だんな、耳に入れてねえのも、無理はないさ。何しろ端《はな》は、駿府《すんぷ》の方で起こった事だったらしい」

盗みを繰り返した数人の男達は、その地に居られなくなって、東に流れてきたのだ。江戸へ向かったと分かったのは、品川の手前で一度、高輪《たかなわ》を過ぎた辺りで一度、彼らが店を狙《ねら》った為であった。

「盗みをした後、土地を移っちまうから、なかなか捕まえられなくてな。だが、お江戸に入って来たとの知らせはあった。だから我らでお縄にしたいと、奉行所の旦那《だんな》達は目を光らせておいでなんだ」

しかしその後随分と、被害の出ない日が続いたのだそうだ。盗人達は、江戸では盗まぬことにしたのかと思った矢先、愛宕下《あたごした》の武家屋敷が、既に荒らされていたようだとの話が、伝わってきた。

「盗人に入られたとあっては、武家の不名誉です。それで黙っていたんでしょう」

武家地の被害は分かりにくいと仁吉が言うと、親分は口元を歪《ゆが》める。

「これで駿府から出て、三件目の荒しだ」

段々東へ来ているから、次はこの京橋《きょうばし》近くか、それとももっと通町を北東へ進んだ、日本橋《にほんばし》辺りか。どのみちこの大通りの近辺にある、大店が狙われているのではないかと、同心達は話しているというのだ。

「それで俺たち岡っ引きも、馴染みの店にそれぞれ、顔を出しているところなのさ」

変わった事はないか、各店から話を集めているのだ。なおかつ、そういうことならばお守り下さいと、岡っ引きの袖内《そでうち》に幾らか入れて貰える、絶好の機会であった。

仁吉も素早く金子《きんす》を紙に包み、親分の茶の脇《わき》に置く。長崎屋はけちな事などしないから、中身を見もせずに懐に入れた親分の顔は、ほころんでいた。

「それで親分さん、その賊《ぞく》は、どういう手口で店を襲ってるんですか？」

仁吉が確認を入れたのは、もし荒っぽい押し込み強盗であった場合、心づもりをしておかねばならないからだろう。すると親分は、少し困ったような表情になった。

「それがな、入る先によって、手口を変えてるようなんだよ」

駿府では、まず人を騙《だま》して、金を手に入れていたようだ。だが追われて逃げた途中、一人殺《あや》めている。品川の手前では、戸締まりが遅い商家へ押し込んだ。

「高輪じゃ、知人の知り合いを騙《かた》って店に入り込み、高直《こうじき》な品を懐に消えちまっている」

愛宕下の武家屋敷で、何がどうやって盗まれたかは、未《いま》だに分かっていない。ただ葬儀は行われなかったので、死人は出なかったようであった。

「まあ余程の事がなけりゃ、物騒な事をする奴らじゃないとは思う。しかし一度、どすを使って人を殺してるしな」

長崎屋は、この近所でも裕福で知られた店だ。もし京橋辺りが狙われるとしたら、用心しなければならない。それに長崎屋の両親が、跡取りの若だんなに甘いことは、有名な話であった。

「若だんなが刃物を突きつけられたら、長崎屋の旦那は、何としてでも助けようとしなさる。幾らでも盗人達に金を渡すだろう」

だからもし、長崎屋夫婦が親馬鹿《ばか》だとの噂《うわさ》を知られたら、それこそ若だんなが真っ先に、盗人らに狙われかねない。

「気をつけとくれよ」

「これは剣呑な話で。聞かせて頂いて、ありがとうございました、親分」

仁吉が真剣な顔で頷《うなず》くと、日限の親分は本当に忙しいらしく、茶饅頭をあと三つ急いで食べただけで、離れから帰ってしまった。

すると。鳴家達や屏風《びょうぶ》のぞき、それにいつ来たのか、野寺坊《のでらぼう》や獺《かわうそ》までが離れに顔を出してきて、仁吉と目を見合わせる。

「ぎゅい、危ない人がうろうろ」

「長崎屋にそいつらが来たら、さて、どうしようかねえ」

「野寺坊さん、親分さんは、最近何か変わった事がなかったか、聞いてましたね」

獺がきらびやかな振り袖を振って、顔を顰《しか》めている。新しい女中《じょちゅう》や下男《げなん》を雇うと、しばし経《た》ってから盗賊の引き込みと化し、内側から戸を開け、賊を家内に引き入れてしまうことがあるのだ。そう言うと、皆は揃って天井を見た。

「まさか……まさかさ、熊八は盗人の手下？　きゅい、違うよね」

鳴家《やなり》達が、わらわらと天井の隅に集まった。野寺坊が、低い声を出す。

「ひょっとしたら、もしかして、熊八は賊の引き込みになるつもりで、長崎屋に来たのかねえ。だけど途中で、滑って転んで死んじまったとか」

すると屏風のぞきが頷き、後を続けた。

「だが、引き込みを続けなきゃってぇいう頭があったから、間抜けにも幽霊姿で長崎屋に現れた。つまり今でも、盗賊を引き入れる機会を、狙ってるのかも」

だから、長崎屋に何故《なぜ》来たのか、分からないと言って、しらばっくれているのかもしれない。

「危険、ぎゅい、危険！　やなり稲荷《いなり》を、全部食べるつもりなんだ！」

「こいつ、若だんなを襲う気なのか」

妖《あやかし》達が不機嫌な眼差《まなざ》しを、天井に向ける。

「へっ？」

熊八は離れの寝間《ねま》の宙で、強《こわ》ばった表情を浮かべていた。

4

通町付近では、ちょいと変わった質問をする者達が目に付くようになった。

「この辺に、若い噺家《はなしか》はいませんかね。背はわっちくらい。当人はいっぱしに話せるつもりだが、まだまだ、全然、全く先達の域にゃ達してない奴です」

「ちょいというか、かなり間抜けで、転んで頭を打って、道ばたで死にかねない輩《やから》で」

だが、どうやらまだ、死に切ってはいない御仁だ。そういう男はいないかと、野寺坊と獺に聞かれた長屋の面々は、目を丸くした。

「分かりにくいね。ええと、その若い人は死んでるのかい？　生きてるのかい？　あ、死にかけて寝ている人を、探してるんだね」

苦笑と共に、この長屋にも隣にも、寝込んでる者はいないと言われ、二人はすごすごと路地から出ると、ちょいとこぼす。

「本当にあの幽霊、まだ死んでいないんですかねえ」

昨日、怖い顔で熊八を取り囲んだ妖達を、若だんながやんわりと止めた。それから皆に、驚くような事を言い出したのだ。

「熊八は、引き込みじゃあ無いよ。だって幽霊じゃ盗賊達が来たって、戸を開けられない。中に引き入れる事なんて、出来やしないもの」

要するに熊八では、用を成《な》さないのだ。しかし、仁吉は怖い表情を崩さない。

「ですが若だんな、その時だけ護符を付ければ、熊八だってものを摑《つか》めます。戸も開けられますよ」

短い間なら貼《は》っていても、熊八は弱りはしなかった。何とかなるだろうと思われるのだ。しかしそれを聞いても、若だんなは首を横に振った。

「うちに、ああいう護符があるかどうかなんて、駿府の出の盗賊に、分かるわけがないと思うけど」

熊八自身が知っていた筈《はず》もない。だから熊八が長崎屋に来たのは、何か別の用件があった為《ため》ではないかと、若だんなは考えたのだ。

「何かって……若だんな、どんな事情があるっていうんだい？」

屛風のぞきが、納得出来ないのか口を尖《とが》らせている。若だんなは小さく笑うと、そこを、きちんと確かめ、皆を納得させないと駄目だねえと口にした。でないと熊八は、この先長崎屋に居づらくなるだろう。

「それはそうですが、どうやったら確かめられるのやら」

仁吉が片眉《かたまゆ》だけ上げ、天井近くを漂う幽霊を見ている。すると、炬燵《こたつ》に身を埋めた若だんなが、にこりと笑った。

「私はね、本人に聞けばいいと思うんだ」

「えっ？　あたしにゃ分からないよ」

天井近くから、困ったような声がする。若だんなは先を続けた。

「もしくは、寝付いて目を覚まさない熊八に付き添っている誰かに、事情を聞くとか」

「は？　若だんなは、熊八がまだ生きているっていうんですか」

離れにいた妖達は、一斉に驚きの声を上げた。若だんなが熊八に笑いかける。

「だってさ、熊八は昼間から現れた、変な幽霊なんだもの」

おまけに死んでいる筈なのに、護符を貼られたら、さっさと稲荷寿司《いなりずし》を食べた。

「私自身、死にかけた事があるんだ。ちゃんと死んじまった人達は、あの世へ行く途中、食べ物を口にしたりはしなかったよ」

三途《さんず》の川も近いというのに、お八つを食べていたのは、まだ死にきっていなかった若だんなと小鬼、それと友の冬吉《ふゆきち》だけだったのだ。

「ああそれで稲荷を食べた熊八も、まだ死んでないかもしれないと思われたんですね」

「仁吉、みんな、手間だけど、今度はまだ亡《な》くなっていないお人を、探しておくれ。伏せって目を覚まさない噺家がいないか、外で聞いてみちゃくれないか」

実際、どこに住むどういう者なのか、どうして幽霊になったのかが分かれば、長崎屋に来た理由が見えてくるかもしれない。いや、当人が江戸の者と分かれば、駿府出の盗賊の一味ではないと、妖達は納得する。それだけでも、熊八にとっては助かる話であった。

「まあ、熊八が盗人の一人でなければ、我らも安心です。何しろ幽霊は、ものをすり抜ける。店に入ってくるのを止められない分、心配ですからね」

仁吉がそう言ったので、長崎屋の妖達は翌日から再び、熊八の事を尋ねて歩く事になった。守狐《もりぎつね》達は達者に人に化け、鳴家達はあちこちの家へ行き、他の鳴家に、すべって転んで寝込んだ間抜けがいないか、聞いて回ったのだ。

すると。

八つ時、鳴家達が「ぎゅべー」と妙な声を上げながら、離れへ帰ってきたのだ。佐助からお八つの落雁《らくがん》を貰《もら》って、茶を飲んでいた若だんなが顔を上げると、鳴家達は膝《ひざ》の上に駆け込んでくる。

「若だんな、ぎゅい、気持ち悪いよう」

二匹の鳴家は互いを見ると、「べー」と言って顔を顰め首を振っている。

「きゅい、同じ、同じ」

「守狐が話したお噺と、おんなじ」

何が同じなのかと言うと、どうやら粗忽長屋《そこつながや》と同じ事が、目の前で起こったらしい。場所は、京橋から少し西へ行った先の長屋であった。割と近いところに熊八はいたのだ。

「長崎屋の離れで浮いてるのは、くまはちー。でも今日、西の長屋で熊八が寝てた」

噺とちがうのは、当人が己の体を、抱き起こしてはいなかったことだ。

「へっ、あたしが寝てた？」

己が名を呼ばれて気になったのか、熊八が姿を現し、若だんなの側《そば》、長火鉢の横に降りてくる。それを鳴家達が、気味悪そうに見つめた。

「ぎゅい若だんな、分かんないよぉ。長屋で寝てたのは、確かに熊八だったの。じゃあ、ここで浮いてる熊八は、誰？」

「なるほど。やはり当人はまだ、死んではいなかったようですね」

佐助は若だんなに、炯眼《けいがん》でございましたと褒めた。そしてその後鳴家達に、寝込んでいた男の事を聞く。そこへ小鬼がもう一匹現れ、三匹で競うように報告をした。

「われ、いっちばんに言います。寝てた熊八は、猪吉《いのきち》って呼ばれてました」

「猪《いのしし》になっても熊八、同じ顔してました」

「熊が猪に化けたんです。ぎゅい、妖なのかもしれません」

真剣に報告する三匹の手へ、若だんなは小さな落雁を持たせた。すると更に二匹現れ、猪吉という病人は、噺家だそうだと口にした。

「夜、京橋近くの堀川《ほりかわ》に落ちて溺《おぼ》れたんだって。助けてもらったのに、目を覚まさないんですよう」

だから女の人が側にいても、猪吉は返事もしないのだと言う。すると屏風のぞきが、女の人という言葉を聞き、屏風の外へと出てきた。

「その人は美人か？　若いか？」

「きょわ？　名前は小《こ》よしさん」

だが、それ以上の話が出てこないので、屏風のぞきは熊八ならぬ、猪吉のことを探るのだと言って、身軽に小よしのいる長屋へと出かけていった。そして割と早く帰ってくると、確かに綺麗《きれい》な娘が長屋にいたと、それを先に口にする。

「あん、寝ていた猪吉さんは、確かにうちの熊八だったかって？　ああ間違いない。うん、まだ死んじゃいなかったよ」

屛風のぞきが聞いたところによると、猪吉が堀に落ちたのは、二日前の夜らしい。つまり生き霊《い りょう》となった後、長崎屋には次の日現れたのだ。佐助が頷いた。

「あげく己の名も忘れてしまい、この世で迷ってしまったって訳ですか」

屛風のぞきによると、猪吉は小よしの父である噺家の、弟子であるらしい。独り者が寝たきりになったので、小よしが時々、様子を見に来ているのだ。

「ぎゅわ、下手なくまはちー、やっぱり本物の噺家なの？」

「小よしさんは綺麗な上に、よい人なんだ。最近、今ひとつ調子が良くないって話なのに、猪吉の長屋へ来るとは、優しいことだよ」

どうやら小よしは、胃の腑《ふ》の具合が随分と悪いらしい。周りが心配し、田舎の温泉にでも行くことを勧めているのだが、母が亡くなっている故《ゆえ》、父の面倒をみねばと言って、小よしの腰は重いのだそうだ。屛風のぞきは猪吉の話はそっちのけで、綺麗な小よしの事ばかり口にしていた。

「きっと、金子《きんす》の心配でもしてるんだろう。湯治《とうじ》にゆくと言ったって、まとまったお足が要る。猪吉みたいな、下手な弟子を食わせていかなきゃいけないんだ。その噺家、そう裕福じゃないのかもしれないし」

猪吉が寝込むくらいなら、小よしを休ませればいいのにと言い、屏風のぞきは冷たい目で、浮いている幽霊、猪吉を見る。

「ほれ、己がどこの誰か分かっただろう。早く身の内に帰って、とっとと起き上がりやがれ」

そして早く小よしの手間を、減らせと言ったのだ。だが幽霊は、離れを去りがたいようで、天井近くをふらふらと漂っている。

「猪吉、帰る場所が分かって、よかったね。もう行ってもいいんだよ」

若だんなが優しく言っても、幽霊はぐるぐると天井の下を回っている。それを見て、屏風のぞきが顔を顰めた。

「鬱陶《うっとう》しい奴《やつ》だな！　賊の引き込みじゃなく、金を盗みに来たんでもないなら、早く長崎屋から消えろっ」

帰る先は京橋の西、少し先の長屋だと言って、屏風のぞきは鳴家の手から大事な落雁を奪うと、天井に投げつける。鳴家と猪吉の悲鳴が混じり、その後、鳴家に嚙《か》みつかれた屏風のぞきも、わめき声を上げた。

双方を止めた後、若だんなが天井に目を向けると、既に猪吉の姿はなかった。

「ちゃんと迷わずに、帰れたかしら」

若だんなが気遣わしげに言うと、膝の上で鳴家達が首を傾《かし》げている。それから、

「熊八？　猪吉？　猪熊ーっ」

鳴家達はそう言い出すと、楽しげに、いのくま、いのくまと呼び出す。

「きゅい、猪熊、今度はいつ来るの？」

「生き霊がまた来ちゃ、拙《まず》いだろうが。こら、勝手にあいつの呼び方を変えるな。幽霊、熊八、生き霊、猪吉、猪熊と名が変わっちゃ、覚えづらいわ」

屏風のぞきが呆《あき》れ、鳴家達は揃《そろ》って何でと繰り返した。

5

若だんなの夕餉《ゆうげ》は、好物の味噌《みそ》粥《がゆ》に玉子焼き、それと青物のおひたしであった。

鳴家達と屏風のぞきに、大いに助けて貰《もら》いつつ、佐助が沢山作った粥を食べ、家の風呂《ふろ》でゆっくりと湯に入ってから、若だんなは床につく。布団《ふとん》はふかりと柔らかいし、潜り込んできた鳴家《やなり》達の、くー、くーといういつもの寝息も馴染《なじ》みのもので、ほっと安心する。

なのに若だんなは、有明行灯《ありあけあんどん》の僅《わず》かな明かりの中、今日も眠れないでいた。

（本当に妙な話だよ。どうしてこうも毎日、目が冴《さ》えてしまうのかな）

全く眠れないかといえば、そうでもなく、夜中に突然起きる事もある。そうなると、もう寝付けなくなるのだが、何が理由なのか、若だんなにはとんと分からないのだ。

若だんなは今日も眠れないまま、あれこれと気になることを思い浮かべた。

（猪吉、ちゃんと目を覚ましたかしら）

生き霊は早く己の体に戻らないと、拙い事になる。二、三日ならばともかく、人が眠ったまま、飲まず食わずで長く生きていられる訳もなかった。

（そもそも猪吉は、どうして生き霊になったのかな。長崎屋へ来た訳は何だろう）

堀川で溺れかけたと聞いたから、死にきれず生き霊になった時に、手近な長崎屋に迷い込んだのかもしれない。若だんなはそう考えた所で、暗い中、寸の間目を見開いた。それから僅かに首を振る。

（ああ違うな。たまたまの話じゃない。猪吉はなんとしても、長崎屋に来たかったみたいだね）

そうと確信を得たのは……部屋の中に、ぼんやりした姿が現れたからだ。己の体に帰った筈の猪吉が、元のように浮いたまま、若だんなの寝間の宙に、また姿を現してきていた。

（あれま、なんてことだろう）

せっかく死んでいないと分かったのに、どうして己の身に帰らなかったのだろうか。声を掛けたものかどうか、若だんなが一寸《ちょっと》迷っている内に、猪吉はすうっと畳に降りてくると、枕元《まくらもと》の方にある小引き出しへと近づいた。それから、手を伸ばして引き出しを開けようとするのだが、生き霊のままであるから、取っ手を摑むことも出来ずにいる。

闇《やみ》の中、生き霊の本当に小さな溜息《ためいき》が、若だんなの耳へ届いた。

「引き出しを開けたいの？　欲しいのは護符かな？　それとも入れてある薬かな？」

思い切って、寝床の内から声を掛けてみる。生き霊猪吉が、飛び上がった。

「わ、若だんな、あの、そのっ」

するとその時、さっと廊下側の襖《ふすま》が開くと、怖い声が重なった。

「その、何だっていうのだ」

「ありゃ、佐助、仁吉」

驚いたことに、若だんなが猪吉と話した途端、兄や達がいつもの姿で、寝間に現れたのだ。そして飛ぶように布団の側へ来ると、猪吉の身に、何やらぺたりと貼《は》り付ける。

「ひえっ」声が上がり、猪吉は壁に当たって転ぶと、うずくまってしまった。壁をすり抜け部屋から逃げ出そうとしたが、護符を貼られ、それが出来なかったのだ。

「病が重いとも思えないのに、若だんなは眠れない。何か剣呑《けんのん》な事があるんじゃないかって、気になってましたんで」

それで二人は最近交代で、寝ずの番をしてくれていたらしい。今日は特に、猪吉がちゃんと消えたかどうか様子を見る為《ため》、二人揃って起きていたのだ。

「体が見つかったのに、元に戻らないとは、大いに怪しい。お前さん、本当に賊の仲間なんじゃないだろうね？」

若だんなに害を為《な》す者は、許してはおかないと二人が言い出し、猪吉は声を震わせ飛び上がった。

「恩人の若だんなに何かしようなんて、思った事もない。だけどあたしは……あたしは……」

泣きそうな声を聞き、布団の中にいた鳴家達が起き始め、寝ぼけた顔を傾げ出す。

「きょん、猪熊がいる。泣いてる？」

その内、寝不足でふてくされた表情の屏風《びょうぶ》のぞきまで出てきて、猪吉を囲んだ。仁吉が怖い表情を浮かべ、懐《ふところ》からもう一枚護符を取りだすと、生き霊は益々《ますます》焦《あせ》った様子になった。

「猪吉、訳をお話しよ」

若だんなが、柔らかい声で促す。すると生き霊は、とにかく一度座り直した。そして皆の方へと顔を向けた後、猪吉は意を決したように話を始めたのだ。

「あ、あたしは何とか、小よしさんの役に立ちたかっただけだ。それだけだったんだ」

「小よしさん？　長屋で、お前さんの体の面倒をみてくれている、師匠の娘御か？」

「こ、小よしさんは最近、よく吐くようになっちまって」

ものが余り食べられなくなって、小よしは痩《や》せてきた。手持ちの薬を飲ませたが、治らない。猪吉は直《す》ぐに、誰より本気で焦った。

「まだ若いのに、おかしい。早く何とかしなきゃ、小よしさんが危ないと思った。他にも痩せたのに気がついた人がいて、師匠に、田舎の温泉にでもやれと言ったんだ」

しかし師匠には小よしを旅に出し、暫《しばら》くゆっくりさせるほどの金子が作れなかった。旅に出ると、一日四百文はかかると言われている。旅の支度にも金は必要だし、田舎の温泉宿での滞在費用も要る。病を抱えたおなごでは、一人で旅に出すわけにもいかないから、費用は二人分だ。

「あたしも、急いで工面《くめん》する事なんか出来なかった」

ならばと猪吉は、何とか小よしを、医者に診せたいと考えたのだ。しかし。

「名の通った医者は、大層高いという話で、これまた手が出ないんだよ。でも、そこいらへんの藪《やぶ》に一回見せたところで、ちゃんと治してくれるかどうか」

以前、猪吉は親を、かき集めた金で一回医者に診て貰ったが、助からなかったのだ。だが迷っている間に、小よしは少しずつ痩せ続けてゆく。

そんなとき、猪吉はある夜出た寄席《よせ》で、客から良き話を耳にしたのだ。通町にある薬種問屋長崎屋の薬は、他よりは良心的な値で、しかも良く効くという。

「翌日あたしは仕事の後、家にあるものを質屋に持ち込んで、幾らか金を作った。足りそうもなかったんで、古道具屋にも回ってたら、少しばかり遅い刻限になっちまった」

猪吉は早く薬が買いたい、長崎屋が閉まる前に行かねばと、暮れてきた道を急いだのだ。すると店に行き着く前、薄暗い中で塀近くにいた者達のことが、ふと目にとまった。

「なんで、そいつらを見たのか、今でも分からないよ。梯子《はしご》なんか持ってたからかね。

大工か左官《さかん》かなと、目が向いただけさ」

猪吉の目は余り良くなかったから、不必要にじろじろ、男達を見てしまったのかもしれない。だが、当人は長崎屋へ急いでいたので、その者達のことを大して考えてはいなかったのだ。

しかし。

「あたしに難癖を付けられたと、思った奴がいたんだ。気がついたらその男達に、囲まれてた」

そして、あっという間もなく口を塞《ふさ》がれた猪吉は、薄暗くて、人目に付かない塀の陰へ、引っ張っていかれた。そして助けを呼ぶ間もなく、近くの堀川へ放り込まれてしまったのだ。

猪吉は泳げなかった。

「ああ、小よしさんを助けられねえと思った。せっかく金を作ったのに、長崎屋の薬が買えねえ」

助けを呼んだが、もう駄目だとも思った。死ぬ、死ぬ、もう二度と小よしに会えなくなる。一本簪《かんざし》を買って、渡す事すら出来ずに死んでしまう。猪吉は溺《おぼ》れながら、総身《そうみ》をかきむしるほどの、泣きそうな思いに駆られたのだ。

せめてせめて、小よしだけは助けたかったのに、何てぇ情けのない男だと、己の事をそう思った。このまま冥土《めいど》へは行けないと、死にものぐるいで念じたのだ。

そして。

「気がついたら、この長崎屋で、ふらふらと宙を漂ってました」

死にかけた為か、暫くは頭がぼんやりとしていたが、その内小よしの事を思い出した。せっかく長崎屋へ入り込んだのだから、薬を分けて貰《もら》えぬかと思ったが、生き霊となった猪吉には、一文の金もない。

どうしようかと焦っている内に素性を知られ、長崎屋から出なくてはならなくなった。

だがこのまま長屋へ帰っては、小よしを救えない。知らぬ男達に、死にそうな目に遭わされただけの、情けのない男。ただそれだけの男になってしまう。

猪吉の生き霊は、長屋に戻れなかったのだ。

「せめて、せめて薬だけは手に入らないかと思って。またこの離れに、来てしまったんです」

途端、生き霊猪吉が頭を下げた。勢いよくやったので、畳に額をぶつけ、小さく悲鳴を上げる。それでも猪吉は、必死に願いを口にした。

「お願いです。小よしさんに、長崎屋の薬を下さい。師匠とあたしで、何としても代金は払いますから」

すると佐助が、小さく溜息をついた。

「猪吉、先に教えたじゃないか。病人を診ないで、強い薬など渡せないと」

「その小よしさんだって、医者に診せてないのなら、どんな病か分からないよ。薬の作りようがないじゃないか」

仁吉も言葉を続けると、大きく眉尻《まゆじり》を下げた猪吉に、とにかく一度帰って人に戻れと促す。だが猪吉は追い払われたと思ったのか、うんと言わない。

するとこの時、若だんながふと首を傾げた。

「ねえ兄や達。猪吉はどうして、突然殺されかけたのかしら」

「は？　若だんな、今更何を……」

きっと、たまたま機嫌の悪い輩《やから》に目を付けられたのだ。勇み肌で知られる臥煙《がえん》、火消人足《けしにんそく》にでも、行き合ってしまったのではと言う。しかし、若だんなは頷《うなず》かなかった。

「だってさ、猪吉は長崎屋へ急いでいたんだろう？　男達に目を向けたといったって、絡《から》んだ訳じゃないだろうに」

猪吉が、うんうんと頷く。しかし薄暗い中ですれ違ったその者達は、猪吉をいきなり殺そうとしたのだ。そんな恐ろしい事をする者がいるとは、いつに聞かない剣呑な話であった。

「猪吉は噺家《はなしか》だもの。大金を持っている身なりには、みえなかったろうし」

一体どうして男らは、突然猪吉を襲ったのだろうか。若だんなが繰り返すと、部屋内の皆が眉間《みけん》に皺《しわ》を寄せる。

しばし後、「そういえば」と言って、仁吉が首をひねった。

「その男達は、火事でもないのに夜、梯子を持っていたと言ってましたね。何か妙ですな」

猪吉を襲った者達は、誰なのか。妖《あやかし》達が顔を見合わせた。

すると、仁吉が猪吉を手招く。そして、梯子はどんなものだったのか、猪吉が襲われたのはどこで、男らの身なりはどうだったのか、詳しく聞き始めた。

「全部きちんと思い出して話せば、小よしさんへ薬を渡そう」

そう約束したので、猪吉は生き霊《いりょう》として叶《かな》う限り顔を赤くし、必死に記憶をたどり始めた。

6

三日後のこと。

暮れ六つも過ぎ、日がくれてから一時《いっとき》ばかり後の夜五つ頃、突然半鐘《はんしょう》の音が京橋近くに響いた。

半鐘の中を思い切りかき回す音が、いきなり聞こえたものだから、近所から様々な声が聞こえてくる。皆が、火の元はどこなのか確かめようと、通りへ飛び出たに違いなかった。

火事は命と財産を奪う、剣呑な出来事なのだ。近火《ちかび》を知らせる半鐘が鳴れば、誰もが浮き足立つのだ。

長崎屋も表へ奉公人が出て行き、裏木戸からも、背の高い姿が道に顔を出してくる。道にいた人に声を掛けた後、火の手が見えなかったからか、その奉公人はさっさと中へと戻った。だが慌《あわ》てていたのか、裏木戸が僅かに開いたままであった。

すると。

暗い中、その木戸から長崎屋の敷地の中へ、するりと入り込んだ者達がいたのだ。

数人の男達が戸を潜《くぐ》ると、さっと後ろ手に戸を閉める。それから男達は、騒ぐ声のする母屋《おもや》へは見向きもせず、倉の横手にある離れへと向かった。

月明かりの下、つい今、火事を見に出た者がいるからか、雨戸が開いているのが分かる。男らがそこから入り込むと、しばし後、人の気配も無いのに、雨戸は静かに閉まった。

部屋の中は、有明行灯《ありあけあんどん》の明かりがあるのか、薄暗いが、ものは見えなくもない。離れは大して広くもないので、男らは直ぐに、布団《ふとん》の敷いてある部屋へと入り込んだ。掛けてある搔《か》い巻《ま》きが、膨らんでいる。

すると、布団の脇《わき》に立った男二人が、ものも言わず、一気に搔い巻きを丸め筒《つつ》のようにし、小脇に抱える。そして、さっと部屋から飛び出ようとした。

その途端であった。僅かな行灯の明かりが急に消え、部屋の内が真の闇と化したのだ。

「おい、雨戸を閉めたのか？　月が出てた筈《はず》じゃ……」

慌てた声がするが、こうなると手の先も見えない。

「とにかく、早く庭へ」

だが、促した声に応《こた》えたのは、「げっ」という、何とも短い声であった。何かが畳の上へ倒れる。横から、う、わっという、焦りを含んだ声がしたと思ったら、直ぐにその男も黙り込んでしまった。

「お、おいっ。大丈夫か？」

誰かの声がした途端、持っていた掻い巻きの筒の片方が、どさりと落ちる。焦った小声が部屋内でした。

「どうしたっ、ちゃんと持てっ」

不機嫌そうなその声に続いたのは、沈黙であった。

「何をやってる。早いところ運ぼう。部屋から出るぞ」

不機嫌な声が、急《せ》かすように言った。しかしその時、持っていた掻い巻きが、妙に軽いことに気づいたのか、男が手から落とす。

「どうなってんだっ」

それから急ぎ外へ出ようとしたのか、障子《しょうじ》の桟《さん》に手を掛けたものの、何故《なぜ》だか開かない。

「何だぁ？　皆、どうしたってぇんだ。勝一《かついち》？　三太《さんた》？　聞いて……」

「へえ、勝一と三太ってぇ名の奴《やつ》が、ここにいるんだね」

その時、真っ暗な中から声が湧《わ》いたのだ。

「だ、誰だっ」

「そいつは、こっちの台詞《せりふ》だな」

笑うような声と共に、真の闇の中で大勢の気配が動いた。皆、前が見えるかのように、足音軽く動き回っている。その、迷いのない気配が気味悪かったのか、男が一歩後ずさった。気がついたら、仲間の声が消えている。

直ぐに何かに躓《つまず》き、つんのめる。そして、「あっ」と声が上がった時には、離れに入り込んできた男の最後の一人が、丸められた布団の上に、崩れ落ちていった。

日限《ひぎり》の親分が、大手柄を立てた。

いや、立てたということになった。つまり長崎屋の者達が夜の内に、入り込んできた怪しい者達を捕まえ、彼らを縛り上げた。朝、そいつらを日限の親分に引き渡し、親分が同心の旦那《だんな》と、奉行所へ連れて行ったのだ。

調べを受けるとその五人組は、駿府からやって来た、手配中の賊だと分かった。親分は褒美《ほうび》を貰い鼻を高くしているという噂《うわさ》であった。

「ぎゅい、親分、いつ活躍したんだろ」

長崎屋の妖達も、賊が捕まって良かったと離れで祝いをした。ご馳走《ちそう》が沢山出たし、守狐《もりぎつね》が、またやなり稲荷《いなり》をこしらえてくれたので、皆ご機嫌であった。

「若だんなが、やっと夜眠れるようになって、ほっとしました」

咳《せき》をしなくなったと言い、兄や達が満足げな表情を見せている。

日限の親分が危惧《きぐ》した通り、駿府から来た賊が、長崎屋の近くへ来ていたのだ。そして町中に響いていた長崎屋夫婦の親馬鹿《ばか》ぶりを、賊らはしっかり聞き込んでいた。

五人は手軽な脅迫が出来ると、若だんなをかっ攫《さら》う事に決めたらしい。

しかし、だ。

当の若だんなは気合いの入った病人で、なかなか外へなど出てこない。髪結いは店へ通ってくるし、長崎屋には内湯があるから、湯屋《ゆや》にすら行かないのだ。

「賊らは、若だんなと呼ばれている者なら、吉原《よしわら》へ行くだろうと思ったんですな。で、帰ってきた所を捕まえようとした。それで夜になると、店の周りをうろついていたんですね」

おかげで横になっている若だんなの耳に、店の周りを歩き回る男達の妙な足音が、何とはなしに伝わってしまったらしい。若だんなは寝不足となって咳き込みだし、益々《ますます》外出が出来なくなってしまったのだ。

「賊らは、いい加減じれてしまったんでしょうなぁ。無謀な計画を作ったようで」

ここでそう言ったのは、やなり稲荷を小皿に取り分けてくれた、守狐だ。鳴家《やなり》がさっそく若だんなの膝《ひざ》に乗ってきて、若だんなが箸《はし》で稲荷寿司《いなりずし》を切り、分けてくれるのを待っている。

「きゅわ、無謀？　それ、馬鹿な事？」

「そうだよ鳴家。ちゃんと分かるなんて、偉いね」

若だんなに褒められた小鬼達は、小さな稲荷寿司を抱え、胸を張っている。つまり賊達は、若だんなを店の外へ飛び出させる為《ため》に、半鐘を鳴らすことにしたのだ。

しかし長崎屋から一番近くにある半鐘は、よくあることだが、木戸脇にある自身番《じしんばん》屋《や》の屋根に取り付けられていた。鐘を打とうと思ったら、梯子《はしご》を掛け屋根へ登るしかない。勿論《もちろん》木戸の横にあるので、真っ昼間にそんなことは出来ない。だから賊は、暗くなるのを待っていたのだ。

「つまり、猪吉が夕刻行き合った時、あの賊達は半鐘を鳴らすつもりで梯子を用意し、自身番屋に近寄っていた所だったんだ」

屏風《びょうぶ》のぞきが稲荷寿司片手に、納得した声を出す。

「賊達は後ろめたい気持ちがあるから、猪吉が梯子に目を向けた時、事を見破られたあと、早合点したんだな」

何しろ今回の件ばかりでなく、今までに何度も、剣呑《けんのん》な悪事を重ねている。捕まる危険は犯せないとばかりに、賊達はさっさと、猪吉を堀川へと落とし、始末にかかったのだ。

「猪吉の命が助かったのは、暮れたばかりの時刻だったからかね。堀川へ目を向けてくれた人が、いたんだな」

猪吉は運が良かったのだ。

そして恐ろしい目にあったが、今猪吉はそのことを、後悔などしてはいないと思われた。ついに、小よしを救えたのだから。

「きゅわ、猪熊、どこー？」

猪吉の名が出た途端、鳴家達が生き霊を探すかのように、天井に目を向ける。若だんなが笑って、首を横に振った。

「猪吉はね、長屋で目を覚ましたんだよ。もう、生き霊じゃないんだ」

幽霊、熊八、生き霊、猪吉、猪熊と名を変えた男は、無事、下手な噺家に戻ったのだ。

猪吉が梯子の件を語ってくれたので、約束した通り、仁吉は猪吉の知り合いだと言って長屋へ見舞いに行った。そして、ついでということで、小よしの様子を診たのだ。

仁吉は医者ではないが、薬を作ることにかけては、そこいらの医者より余程確かな腕を持っている。

「小よしさん、やはり胃の腑《ふ》がやられている様子でした」

当座の薬が渡され、ゆっくり休むよう仁吉は声を掛けた。優しげな娘であったので、あれこれ気に病まぬよう、これからは猪吉が気を配る事になった。

「まあ、まだ酷《ひど》い様子ではなかった。猪吉がいますから、小よしさんは助かるでしょう」

「猪吉は、全財産と己の命を懸ける程、小よしってぇ娘が好きなんだねえ。だけど器量よしっていうから、この後どうなることか」

案外病が癒《い》えたら、あっさり他の男へ、嫁入りなんてことになるのかもしれないと、野寺坊が言う。百万が一、小よしが猪吉の事を嫌いでなくても、ああも噺が下手な弟子では、なかなか父親の師匠が、良い顔をしないだろう。

「まずは、噺を練習しなくては駄目でしょうね」

佐助が笑って、目の前のやなり稲荷に描かれた鳴家の眉を動かし、大いに情けのない表情にする。すると若だんなが「大丈夫」と言って、眉をぐっと上げ気丈な顔に変えた。

「小よしさんが、噺の上手なお人が好き、とか言ったらいいと思う。きっと猪吉はもの凄《すご》く、一所懸命練習すると思うな」

そうしたら、上達は驚く程早いだろう。

「きゅい、いのくまの顔ー」

ぱくぱくご馳走を食べながら、鳴家が海苔《のり》で、稲荷寿司の顔を猪吉に似せて作った。

「面白い」

若だんなが上手だねと褒めると、あっちでもこっちでも、皿の上に、色々な稲荷の顔が生まれ、きゅいきゅいと嬉《うれ》しげな声がする。

どの鳴家も、自分に似ているやなり稲荷が、一番かわいいと言った。

からかみなり

序　栄吉《えいきち》の煠出《あげだ》しいも

煠出しいもには、大根おろしを添える事が多いが、若だんなの為《ため》に、栄吉が甘く工夫したもの。

・用意するもの
中くらいの薩摩芋《さつまいも》　二本。
茶色い砂糖　大きなさじ、山盛り三杯。醬油《しょうゆ》　さじ半分。水　大きなさじに二杯。
水飴《みずあめ》　大きなさじで一杯。油。

・用心するもの

屏風《びょうぶ》のぞきが水飴の瓶を、こっそり持って行ってしまった事があるので、気をつけるべし。

・作り方
薩摩芋を縦、横、二寸（ろくせんち）、厚さ一寸（さんせんち）ほどの形に切る。

油で、からりと揚げる。

（出来れば、二度揚げをする）

浅い鉄の鍋《なべ》に、砂糖、醤油、水を入れ、炭火などの火に掛ける。沸騰《ふっとう》して細かな泡が立ったら、鳴家《やなり》達に六十（一分）ほど数えて貰《もら》ってから水飴を入れる。きちんと溶かしたのち、揚げた芋を鍋に入れ、からめる。大きな器に盛って、みんなで食べる。


（注意）

栄吉の作る菓子ではあるが、芋を揚げすぎたり、飴を焦《こ》がしたりしないときは、美《お》味《い》しい。

（ただし時々……栄吉は、飴を焦がしている模様）

煠出しいもには本来、大根おろしを付けるが、栄吉が若だんなの為に、甘く作った。さじに水飴を巻き付け、若だんなに差し入れると、兄《にい》や達が喜ぶ。

1

お江戸の空に、突然空雷《からかみなり》が響いた。

空に雲はあったものの、堀川《ほりかわ》沿いの道には、雨粒は落ちていなかった。なのに突然、一帯を引き裂くような音が響き渡ったのだ。辺りに小さな雷まで走ったように見えたから、人々は身をすくめ、空へと目を向けた。

堀川岸で、丁度舟から下りようとしていた長崎屋《ながさきや》藤兵衛《とうべえ》も、一寸強く目を閉じた。その後、舟の中にうずくまった連れの小僧、梅丸《うめまる》に笑いかける。

「あれ、雷様が派手な音を立てたね」

空の上で、何ぞお気に召さぬ事でもあったかなと、藤兵衛がのんびり言うと、顔を強《こわ》ばらせていた梅丸も、笑みを浮かべて頷《うなず》いた。今の雷が落ちたのか、道の先で、何やら人が集まってざわついている。

藤兵衛は身軽に岸へ上がると、梅丸に、先に舟で長崎屋へ帰るよう言った。

「さっき平清《ひらせい》で、伊勢屋《いせや》さんから受け取った荷が、存外重かったからね。あれを舟で、店へ持って帰っておくれ。私はちょっと、寄りたいところがあるから」

「あの、重くても荷物、ちゃんと運べます。旦那様《だんなさま》、本当にご一緒しなくてよろしいのでしょうか」

廻船問屋《かいせんどんや》長崎屋の番頭久松《ひさまつ》から、きちんと主《あるじ》の供をするよう言いつかっている梅丸は、少しばかり落ち着かぬ素振りを見せた。しかし藤兵衛は笑うと、船頭に金子《きんす》をはずみ、梅丸を店へ送り届けてくれるよう頼む。

「その荷は、早く店へ運んで欲しいんだよ。梅丸、一人で出来るね？」

「は、はい。お任せ下さい」

元気の良い返事を聞くと、藤兵衛は頷き、岸辺から、賑《にぎ》やかな道へと足を向けた。

広い通りの両側には、数多《あまた》の店が並び、その前には路上の店がずらりと品を広げている。二人で引く大八車《だいはちぐるま》が通り、草履《ぞうり》売りが行き、一個四文《もん》の大福餅《だいふくもち》売りが荷箱を担《かつ》いで歩く。武士が道をゆく先には、冷や水売りが桶《おけ》を担いでいた。

その流れの中に入ると、藤兵衛の姿は直《す》ぐに、堀川に浮かぶ舟からは見えなくなった。

そして。

それから三日経《た》った。しかし藤兵衛は長崎屋に、帰ってきていないのだ。

「おとっつぁん、どこへ行っちゃったのかしら」

長崎屋の離れでは若だんなが、いつになく不安げな表情を浮かべ、寝間《ねま》から縁側の向こう、母屋《おもや》の方へ目を向けていた。途端、遠くで空雷が鳴り、一寸首をすくめる。

「ああ落ち着かない。いくらなんだって、三日も戻らないなんて、変だよ。やっぱり私も、おとっつぁんを探しにゆく」

「駄目です」

兄やの仁吉《にきち》が恐ろしいほどきっぱりと、若だんなを止めた。若だんなはこの三日、咳《せき》が止まらず、喉《のど》に天鵞絨《ビロード》の長い布を巻き付けている。だから、父藤兵衛を探しに行くどころか、離れから出るのも止められているのだ。

そして長崎屋の離れには、藤兵衛の不在を聞き興味が湧《わ》いたのか、数多の妖《あやかし》達が顔を出してきていた。長崎屋の先代の妻おぎんは大妖《たいよう》であったから、店には多くの不可思議な者達が、集ってくるのだ。

鈴彦姫《すずひこひめ》、屏風のぞき、野寺坊《のでらぼう》に獺《かわうそ》、金次《きんじ》に鳴家、それに母おたえの守をしている守《もり》狐《ぎつね》達までいる。兄やの仁吉からして、人ならぬ者、白沢《はくたく》であった。

しかし妖達は、誰より若だんなを守らなくてはならないと言って、藤兵衛を探しに行ってはくれない。皆、こんがりと焼かれた大福餅の山から、離れようとしないのだ。

「きゅい、若だんな。探しに出たら若だんな、疲れる。で、直ぐに倒れる」

家を軋《きし》ませる妖、鳴家達はそう言い、大いに頷いている。それに、鈴彦姫も同意した。

「そうなったら、みんなはまず若だんなの手当をします。医者を呼びに行きます。つまり、藤兵衛旦那を探す事を止《や》めますね」

「ぎゅわ、藤兵衛旦那、やっぱり放っておかれる」

つまり、探しに行っても藤兵衛は見つからない。だから離れに居てもいいのだと、妖達は思っているらしかった。

「あのね、それじゃ私が、必ず倒れると決まっているみたいじゃないか」

若だんなが小鬼をつまみ上げ、渋い顔を向けると、遊んでくれると思ったのか、鳴家達はきゅわきゅわと鳴いてしがみつき、懐《ふところ》に入ってくる。すると貧相な身なりの金次が、へへと笑い、渋団扇《しぶうちわ》をあおいで若だんなに苦笑を向けた。

「あのなぁ、若だんな。藤兵衛旦那が心配なんだろう？　ならば探しに出るより、この離れで、旦那の行った先を考えた方が、役に立つだろうよ」

藤兵衛がいる場所が分かったら、岡《おか》っ引《ぴ》きの日限《ひぎり》の親分でも呼んで、連れて帰ってもらえばいい。金次はそう言って、ぱくりと大福を食べている。

金次の正体は、大概の家で嫌がられる貧乏神《びんぼうがみ》であった。しかし、居心地の良すぎる長崎屋相手に祟《たた》ることも出来ず、時々現れては菓子を食べ、若だんなと碁《ご》を打ってゆくのだ。

「まあ、そう心配することもなかろうよ。藤兵衛旦那は、いい歳《とし》をした大人じゃないか」

三日程帰って来なくとも大丈夫だと言い、金次はぱちりと碁石を打った。しかし若だんなは碁盤の向かいで、珍しくも眉間《みけん》に皺《しわ》を寄せ、考え込んでいる。

「そりゃ、おとっつぁんも男だもの。例えば吉原《よしわら》の花魁《おいらん》の部屋に、三日くらい居続けたって聞いても、誰も驚かないだろうけど」

しかし、だ。藤兵衛がそんな事をするとは考えづらいのだ。藤兵衛は、一に息子に甘い。そして妻のおたえに、ひたすら惚《ほ》れてもいた。すると、ここで守狐も首を縦に振る。

「藤兵衛旦那なら、たとえ吉原に泊まるような時でも、おたえ様に使いくらい寄越《よこ》すでしょうね。揉《も》めるとも思えませんし」

あら吉原に泊まるの、珍しいわねと言って、おたえは笑うだけで気にしないだろうと、守狐は言うのだ。若だんなは碁石片手に、眉尻《まゆじり》を下げた。

「おとっつぁん、おっかさんから、そんな風に言われるのが嫌なんだと思うよ。だから滅多に、余所《よそ》に泊まったりしないんだ」

部屋内の妖達が笑い声を上げた。

「おたえ様、最強ーっ」

「きゅわっ、きゅわっ、きゅわっ」

「となると、おとっつぁんは、どこへ行ったんだと思う？」

問われた妖達は、寸《すん》の間《ま》顔を見合わせた後、我先にと、思いついた話を喋《しゃべ》ろうとする。だがその時、遠くからまた雷鳴が聞こえたものだから、皆、首をすくめ黙り込んだ。

「若だんなが寝込んでないか、旦那様が何日も確かめずにいるのは、確かに変ですな」

ここで最初に話し出したのは、母屋からあらたな茶菓子を運んできたもう一人の兄や、佐助《さすけ》であった。花林糖《かりんとう》が山と入った木鉢《きばち》が手にあるのを見て、鳴家達がその足下にわっと集まってゆく。

佐助は器用にその鳴家達を避けて歩くと、まず若だんなの前に、大きな木鉢を置いた。若だんなが一つつまんでいる間に、鳴家達が花林糖を口一杯に詰め込んで、上手《うま》く喋れなくなる。すると屛風のぞきが先に、己《おのれ》の推測を口にした。

「あたしには、冴《さ》えた思いつきがあるんだ。藤兵衛旦那が戻らない原因は、おなごだな。女の災難だよ」

付喪神《つくもがみ》は腕を組み、己の考えに頷いたが、部屋内からは賞賛の声が上がらない。屛風のぞきが不満げに皆を見ると、仁吉が首を振りつつ、藤兵衛が余所へ女を作り、今そこにいるなど、考えられないと言い出した。

「今し方、旦那様はおたえ様の言葉を気にして外へ泊まる事もしないと、話が出たばかりではないか」

「旦那様は松之助《まつのすけ》さんの時の騒ぎで、懲《こ》りていると思うがね」

佐助も苦笑を浮かべている。

まだ若だんなが、生まれていなかった時のこと。長崎屋に跡継ぎが必要だと思った藤兵衛は、若だんなの兄松之助を、余所のおなごに産ませた事があった。しかし、危うく恋女房のおたえと別れる羽目になりかけ、大いに反省をしたのだ。

「あれから、浮いた話一つありませんよねえ」

鈴彦姫も頷いている。しかし、だ。ここで屏風のぞきがにやりと笑った。

「あのなぁ、あたしは藤兵衛旦那が、また浮気をしたなんてことは、ひとっつも言っちゃいないよ」

ただ女難《じょなん》にあったのではと、言っただけだ。

「女難?」

若だんなと二人の兄や達が、顔を見合わせる。妖達が長火鉢《ながひばち》の横で輪になり、次の言葉を待った。屏風のぞきは注目され、得意げな表情になる。それから己が考えついた物語を、さも目の前で見てきた事のように、離れの皆へ語り始めた。

丁度その時、まるで話を盛り上げるかのように、どーんと、もの凄《すご》い雷鳴が響いた。

2

「旦那、長崎屋の藤兵衛旦那じゃありませんか」

堀で舟から下りて程なく、通町《とおりちょう》の大通りへ出て少し歩いたところで、藤兵衛は艶《あで》やかなおなごに声を掛けられた。着物の裾《すそ》を引きずらないよう、ちょいと左手でつまみ上げている立ち姿は、すっきりとしていて美しい。

「おや、鶴吉《つるきち》じゃないか。珍しいね、深川《ふかがわ》以外で会うとは」

鶴吉は、川向こうではいささか知られた辰巳芸者《たつみげいしゃ》で、三味線《しゃみせん》を入れた箱を持つ箱屋を、背後に従えていた。

「いえね、馴染《なじ》みのお客様に、あの人気絵師の豊国《とよくに》先生がおいでなんですよ。その先生が酔狂な事に、あたしの絵を描きたいって言いだしまして」

それで今日、上槙《かみまき》町の絵師の仕事場へ顔を出したのだと言う。

「何と鶴吉は、錦絵《にしきえ》になるのか」

有名絵師が美しい芸者を描けば、それはもう話題になる。辰巳芸者で一に粋《いき》だと言われている鶴吉は、深川だけでなく江戸で知られた美人として、この先座敷で引っ張りだことなるだろう。

「そいつは目出度《めでた》い話だ」

藤兵衛が笑みを浮かべると、鶴吉は嬉《うれ》しげに頷く。それから喜んでくれるならば、是非藤兵衛と一緒に祝いたいから、一度鶴吉を座敷へ呼んでくれぬかと、そうねだってきた。

「旦那は、座敷に呼ぶ芸者を決めておられませんよね。あたしがそうなれたら、嬉しいんですがねえ」

藤兵衛は大商人《おおあきんど》で、しかも様々な店の荷を運ぶ廻船問屋の主だ。仕事相手と料理屋へ顔を出す事が多い。藤兵衛が贔屓《ひいき》にしたら、その芸者は実入りがぐっと多くなる。

「是非、お願いしますよう」

往来の真ん中だというのに、鶴吉は遠慮もなく藤兵衛に綺麗《きれい》な顔を近づけてくる。

その時であった。二人の間に割って入るかのように、声が掛かったのだ。

「あら、藤兵衛旦那じゃありませんか。嬉しいわぁ、こんなところでお会い出来るなんて」

ふわりとした口調の主《ぬし》は、これまた箱屋を連れた、顔見知りの芸者であった。

「おお、吉也《よしや》も通町にいたのかい」

辰巳芸者といえば、きりりと男勝りな様子が目を引くものだ。だが吉也は男のように羽織を着た姿ながら、見目《みめ》も語りも、春先の桜草を思い出させるおなごであった。そこが他と違って良いとされ、吉也は辰巳芸者で一番愛らしいと評判なのだ。芸者の番付が出れば、三番までには必ず入る人気者であった。

吉也は気の強そうな鶴吉へ、臆《おく》しもせずに笑みを向けた。

「鶴吉さん、話が聞こえたんだけど、藤兵衛旦那に嘘《うそ》を教えるのは、いけないわねえ」

やんわり、はっきり吉也に言われ、鶴吉の眉がぐっと上がる。

「あら吉也さん。あたしがいつ、間違った事を言いましたっけ？」

すると、鶴吉の問いに返答したのは、吉也ではなかった。こちらも箱屋を従えた辰巳芸者の一人、新八《しんぱち》までが現れ、まずは藤兵衛に頭を下げてから、辰巳芸者が三人も通町に揃《そろ》った訳を告げる。

「長崎屋の旦那、お久しゅうございます。往来でお引き留めして、申し訳ありませんねえ。けど、事情はお伝えしておきたいですから」

「今度は新八が現れたか。これは眼福《がんぷく》だね」

新八は深川でも、一に美しいと言われるおなごであった。三人一緒とは珍しいと言い藤兵衛が笑うと、新八は自分や吉也も、豊国に絵を描いて貰《もら》う為《ため》この通りへ来たのだと語る。

「おや絵のお題は、辰巳芸者の美人揃えだったのか。豊国、というか版元も考えたねえ」

いずれが菖蒲《あやめ》か杜若《かきつばた》か。絵の内に綺麗な芸者を三人揃え、眺めて語る趣向だったかと、藤兵衛は納得した。

だが鶴吉は何か楽しまぬ様子で、頬をちょいと膨らませる。

「豊国先生は、酷《ひど》いんですよ。お前さんを、是非に絵にしたいっていうから、そりゃ喜んで作業場に伺ったら……」

何故《なぜ》だか、吉也と新八までいたという。すると後の二人が、言葉を返した。

「そりゃ、お互い様の話ですよ」

皆、豊国の一枚絵となるつもりでいたのだ。それで忙しい中舟に乗り、この通町にまでやってきた。

だが、揃って当てが外れてしまった訳だ。

藤兵衛はむくれる三人に笑みを向け、その内深川へ行ったら錦絵となった祝いに、三人揃って座敷へ呼ぼうと、そう約束した。

「あら嬉しい。でもこの三人が、同じ座敷に出られますかしら」

鶴吉が首を傾《かし》げる。三人とも売れっ子なのだし、我こそは一番と思っている。だから三人が同席したら、席次で揉めるに違いない。

その時鶴吉の箱屋が、是非に鶴吉を一番のご贔屓にと言い出した。

「うちの姐《ねえ》さんは、いつもそりゃあ、長崎屋さんのお座敷に呼ばれるのを、楽しみにしているんです。だから、鶴吉姐さんを一番に」

箱屋は受け持った芸者の、様々な世話をする者であった。着物を着る手伝いから、仕事を取り次ぎ、線香を立てて座敷に出る時を測ったりもする。その他、芸者の為に様々な雑用をこなす事も多かった。要するに、芸者の相棒なのだ。

すると当然というか、他の二人の箱屋も黙ってはいない。己がつきそう芸者が一番。そう思わなくては、芸者の箱屋など、やっていける訳もないのだ。

「なんとなんと。藤兵衛旦那《だんな》、吉也さんこそ一の贔屓にして下さらなきゃ。吉也さんの芸は、はい、そりゃあ良いですからねえ」

「旦那ぁ、新八姐さんこそ、一の辰巳芸者ですよ。姐さんのいる席で呑《の》む酒は、極上だって言われたじゃないですか」

「一番のいい女は、うちの姐さんですよ！」

三人の箱屋の声が揃い、三人の芸者が通町の道端で、眉をくいと上げ視線を絡《から》ませる。

「おい、ちょっと三人とも、こんな所でいがみ合いは、勘弁だよ」

藤兵衛が慌《あわ》てて止めたが、芸者三人はぷいと互いから視線を外し収まらない。しかもいつの間にやら、取り囲んでいた野次馬《やじうま》達からは、藤兵衛がこの場をどう仕切るか、興味津々《しんしん》の声が上がっていた。

藤兵衛が眉尻を下げた時、見物人の中から、一人の男がひょいと前に出て来た。

「あの、手前は通りがかりの者でございます。たまたま話を耳にしまして」

男は和泉屋《いずみや》甘泉堂《かんせんどう》と名乗り、にっと笑みを浮かべる。途端、藤兵衛らは目を見張り、周りに集まっていた者達からは「ほう」という声が上がった。和泉屋は人に知られた版元で、錦絵などが人気の店であった。

「こうして、三人の芸者さんが道に立たれただけで、この人だかり。綺麗なお三方の内、長崎屋さんが誰を選ぶか、皆、注目してますね」

ならばと、和泉屋は思いついたのだ。

「手前も、この話に乗りとうなりました」

「乗る、とは？」

驚いた藤兵衛が何をするつもりか問うと、和泉屋は芸者達へ目を向けた。

「長崎屋さんが、一番の辰巳芸者を決めたら、その人の一枚絵を、この和泉屋が売り出しましょう」

勿論《もちろん》絵師は有名な豊国だ。話が大きくなり、「へええ」と周りからどよめきが上がった。すると人の輪から、また声が掛かる。定松《さだまつ》と名乗る者が、よみうりを書いていると言い、己もこの話に加わりたいと言い出したのだ。

「三者三様、誰が時の花となるか。こりゃあ、よみものとしても面白い」

「おお、よみうりも出るのですか。きっと評判になりますなぁ。絵が一層売れますよ」

「ついでに、ここいらで新しい、辰巳芸者番付も出しましょう」

和泉屋が大きな笑みを浮かべ、道にいた者達は、一斉に三人を比べ始める。つまり藤兵衛に選ばれた者こそ、江戸で一に知られた辰巳芸者となれるのだ。三組の芸者と箱屋の顔つきが、俄然《がぜん》真剣なものに変わった。

「ちょ、ちょいと。勝手に話を進めないでくれないか」

藤兵衛は慌てたが、しかし版元とよみうりは、どんどん先のことを相談し始める。

「そうと決まれば、さっそく長崎屋さんに、選んで頂きましょう。それから豊国先生の作業場へ戻り、選ばれた姐さんの絵を、直《す》ぐに描いてもらうとします」

「いや、よみうりとしてはどうせなら、もっと面白い趣向が欲しいですな」

趣《おもむき》のある場所、例えば有名な料理屋の座敷で、三人の芸者達に芸を競って貰うのはどうかと、よみうりは言い出した。

「その上で長崎屋さんに、一番を決めて頂いた方が、姐さん達も納得できるのでは？」

この考えには、和泉屋も賛成をする。料理屋の趣ある庭を背景に、豊国に描いてもらうのもいい。

「なに、料理茶屋の掛かりや、姐さん達のお座敷代は、大店《おおだな》の長崎屋さんが持って下さいましょうから」

よみうりが勝手な事を言う。すると箱屋達が両側から、藤兵衛の腕をやんわりと、しかし離さぬように摑《つか》んできた。

「おや、どうして私を摑むのかね。はい？　これからすぐ料理屋へ、行くつもりなのかい？　私にも用ってものがあるから……おい、引っ張るんじゃないよ」

「藤兵衛旦那、鶴吉姐さんが一番と決まるまで、あっしは腕を離しませんからね」

「旦那、この吉也が一番と決まってます。お願い、絵が仕上がるまで側《そば》にいて下さいよぉ」

吉也が優しい口調で勝手を言うと、隣で新八が、綺麗な顔を顰《しか》める。

「あら、二人とも勝手なことを言って。藤兵衛旦那、これからずっと贔屓にして下さるのは、新八ですよねえ？」

そう言われても、芸者達が睨《にら》み合っている真ん前で、贔屓の一人を決める事など、藤兵衛には出来なかった。戸惑《とまど》っている間に、皆に引っ張られ、藤兵衛は堀川の岸へと向かう。舟で料理茶屋に行こうと、和泉屋が決めたのだ。

「ああ、何でこんな事になったのか」

藤兵衛が仕方なく、急ぎ仕事を約束している相手に断りの文《ふみ》をしたため、近くの小僧に頼んで使いを出す。長崎屋へ出す文は、間に合わなかった。

「これじゃ帰りが遅くなってしまうよ」

藤兵衛がぼやいている間に、舟は皆を乗せ、料理茶屋へとこぎ出していった。

3

「多分そういういきさつで、藤兵衛旦那は行方知れずになったのさ」

きっと、なかなか一番の芸者が決まらないか、和泉屋達が興に乗ってしまい、事が長引いているのだろうと話をくくる。屛風《びょうぶ》のぞきは一人、うん、いい話を考えついたと言い、花林糖を囓《かじ》った。

しかし。長崎屋の離れに居る面々は、その話が終わった時、妙な表情を浮かべていた。そして真っ先に、仁吉が首を振ったのだ。

「旦那様はひょっとしたら、辰巳芸者《たつみげいしゃ》と茶屋へ行ったかもしれない。確かにありえない話ではないな」

だが、と言って、仁吉は片眉《かたまゆ》を上げた。

「三日も芸者達と付き合う事は、無いと思うがね」

少なくともそれだけ長い間、長崎屋を離れるのであれば、どこにいて何をしているか、店へ知らせを寄越すと思われる。閉じ込められている訳で無し、茶屋の者に使いを頼めば、済む話なのだ。

「ぎゅげー、屏風のぞきの思いつき、変」

鳴家《やなり》達は屏風のぞきの花林糖を囓り、首を傾げる。ここで若だんなも話に加わった。

「それにおとっつぁんなら、どのおなごが一番なのか、直ぐ決めると思うけど。通町の道にいる内に、さっさと名を言ったんじゃないかな」

だから料亭へは、行かなかった筈《はず》だというのだ。

「おや若だんな、藤兵衛旦那は誰の名を言うと、思うんだい？」

興味が湧《わ》いたのか、鳴家達と花林糖の奪い合いをしている屏風のぞきが、目を向けてくる。若だんなは離れの皆へ視線を向けてから、にこっと笑った。

「おとっつぁんが一番というおなごは、ただ一人。三人の芸者の名前を言わず、〝おたえ〟と、おっかさんの名を言ったと思うな」

「はは、違いない」

妖《あやかし》達が一斉に笑い声を上げた。そういう返答があれば、版元もよみうりも、それ以上無理を言わなかったに違いない。誇り高い辰巳芸者達だとて、三人揃って引いただろうと思われるのだ。

「でも旦那は帰ってきておらん。屏風のぞきの話、外れだ」

野寺坊が断言すると、小鬼達が屏風のぞきの花林糖を食べてしまってから、舌を出した。ぐっと怖い表情になった屏風のぞきが、小鬼の頬をひねりあげると、「きゅげーっ」という叫び声がして、喧嘩《けんか》に突入する。

「やれやれ、じゃあ藤兵衛旦那はどこへ消えたのかな」

金次がゆったり腕を組み考え込んだ。すると鳴家の塊が飛び跳ねる横で、今度は佐助が、思いついた事があると言い出した。

「旦那様は珍しく、外出の途中で小僧を先に帰しました。身なりの良い、いかにも裕福そうな男が、一人きりだったのです。金子《きんす》を狙《ねら》われたのかもしれませんね」

「ぎゅわ、追いはぎ？」

話に驚いた鳴家達が、揃って顔を上げた途端、空が陰った。空模様が定まらない。

「お菓子を狙わず紙入れを狙うなんて、奇妙」

人には頭のいかれた者がいると言った途端、長崎屋のすぐ近くに雷が落ち、細かなエレキテルのような筋が、部屋内に走る。長火鉢の灰の上にあった付け木の欠片《かけら》が、ぱしっと小さな音を立てて燃えた。「きょーっ」驚いた鳴家達が、一つ所へ集まって震える。屏風のぞきは……鳴家の山の下で潰《つぶ》れていた。

「でも金子を盗《と》られただけなら、藤兵衛旦那はとうに帰っておるだろう」

佐助の考えを聞いた野寺坊が、口をへの字に似せる。舟から下りた場所は、店から遠くはないのだ。すると仁吉が、己の思いつきを佐助の話に足した。

「もし本当に旦那様が誰かに狙われ、それで帰ってこられなくなったんなら……その賊《ぞく》が狙ったのは、懐《ふところ》の金じゃ無いかもしれないな」

狙われたのは藤兵衛自身かもしれない。賊は刃物でもそっと突きつけ、藤兵衛をさらっていったのだ。真っ昼間、人通りの多い道でそんな物騒なことをするとしたら、それは長崎屋の主《あるじ》と知った上での事だろう。

「人さらい？　何でおとっつぁんをさらうの？」

「藤兵衛旦那なら……高直《こうじき》な根付《ねつ》けを付けているわね。それを狙ったのかしら」

「煙管《きせる》も銀で粋《いき》な品ですよ」

鈴彦姫《すずひこひめ》と獺《かわうそ》も話に加わる。仁吉は佐助へ目を向けた。

「ちょうどうちの船、常磐丸《ときわ》が上方《かみがた》から帰ってきたばかりだろう？　あちらの相場の話や、上方で値が上がっている品の事など、旦那様は船頭から聞いたんじゃないか？」

「ああ、それは耳にされただろう」

船は品物だけでなく、遠い地域の話をいち早く運ぶものでもあった。長崎屋は大店で、沢山の品を扱うから、耳に出来る話は、大層多い。

「米の不作、値上がりしそうな品物の話、新しい流行《はやり》。知りたがる御仁《ごじん》は多いだろう」

四艘《そう》の船からもたらされる知らせを元に、長崎屋は店売り以外でも、随分と儲《もう》けているのだ。そして、それを知った誰かが、藤兵衛から金になる話を聞き出そうとしたのではないかと仁吉は言う。

「だから旦那様は連絡もなく、行方知れずになったのかもしれません」

三日も帰って来ないのだ。そう考えると、辻褄《つじつま》が合う。

「おとっつぁん、襲われたの？」

若だんなが酷《ひど》く心配し始め、妖達は長火鉢の横で、更に勝手な意見を言い出した。

「きっと、藤兵衛旦那をさらったのは、のんべえの天狗《てんぐ》達ですよ。上方の酒の出来具合が知りたかったに違いないです」

「商売敵が、かまいたちに悪さを頼んだのかもしれません。どうやって妖に会ったのかって？　いや、そいつは分からないですが」

とにかく藤兵衛は帰ってきていないのだから、つまりさらった相手に、上方の話を漏らす事を拒んだのだと、獺が決め込んだ。するとまた口を出した屛風のぞきが、芝居のような振りを付けつつ、大きな声で話を進めた。

「いやいや、大《だい》の大人をどす一つで連れ回すのは、なかなか厄介だ。途中で走って逃げられるかもしれないしな」

だからその悪い奴《やつ》は、通町の道で藤兵衛にどすを突きつけた時、直ぐ上方の話を聞き出そうとした筈だと言う。ところが。

「あれで旦那は肝が据わってるからな。きっと黙ったままだったんだ」

だから相手が、かっとなった。

「どすを持つ手につい力が入り、往来のど真ん中で、藤兵衛旦那の腹をぶすり……」

「ひえええっ」

驚いた若だんながよろけ、思わず畳に片手をつく。仁吉がさっとその体を支え、佐助が屛風のぞきの頭を遠慮無く叩《たた》いた。

「阿呆《あほ》か。もし旦那様が三日も前に道で刺されてたら、長崎屋に知らせが来てるわ」

大通りで血まみれの怪我人《けがにん》が出たら、それこそ大騒ぎだ。そして藤兵衛は、この辺りで顔を知られた商人であった。

「ち、血まみれって……」

若だんなが今度は顔を蒼《あお》くすると、仁吉が針のように細くなった黒目で、佐助を睨んだ。

「大丈夫ですよ、若だんな。つまり佐助は、旦那様は刺されちゃいないと、そう言っただけですから」

つまり藤兵衛は無事でいるのだ。だから藤兵衛を狙った悪人など、そもそも、いなかったであろうと思われた。要するにこの話は、どうやら屏風のぞきの推測と同じように、見当違いのものであるようだ。

「ああ、ほんの目と鼻の先、通町の通りで何が起こったのかしら。それを知ることが、こんなに難しいとは」

顔色が戻った若だんなを、仁吉がせっせと、分厚い掻《か》い巻《ま》きでくるみ込む。するとここで、藤兵衛がどうなったのか、今度こそ見通せたと言い出した者がいた。

おたえを守っている妖狐《ようこ》、守狐《もりぎつね》だ。

「何しろ狐って者は、昔から知恵者と決まっていますんでね。それで神は御使いとして、頭がいいだけでなく、気配りも出来、気の優しい我らを側に置こうと決められ……」

「おい、日が暮れる前に、何を思いついたのか、話してはくれないか」

横から野寺坊に遠慮無く言われ、守狐は長い口元を益々《ますます》とんがらせた。しかし鳴家達が退屈し、狐のふさふさした尻尾《しっぽ》で遊び始めたものだから、急いで先を口にする。

「まあ、聞きなさいよ。今度の騒ぎには、そう、五日ほど前に長崎屋へやってきた、ある夫婦が関わっている気がするのさ。あたしはそう見当をつけたんだよ」

守狐が、物語を語る。五日前の昼過ぎ、長崎屋へ来た取引先の、多寿屋《たずや》の事を口にし始めた。

4

多寿屋は珍しくも妻のおろくを連れ、長崎屋にやってきた。

店を訪れた用件は、船で多寿屋の荷を上方へ運ぶという話で、奥の六畳間ではあっという間に、取引がまとまる。

すると多寿屋は、まだ若い妻を伴った訳を、語り始めた。

「いや藤兵衛さん、最近おろくに簪《かんざし》を買ったんですがね。これが本物の鼈甲《べっこう》か、上方で良いものを買い付けておられる長崎屋さんに、確かめて欲しいと思いまして」

それで妻と共に来たと言われれば、目は嫌でも多寿屋の妻の簪へ向かう。おろくが髪に挿していたのは、半透明でとろりとした色合いの、それは綺麗《きれい》な鼈甲の簪であった。

「見事な品ですな。斑《ふ》も入っておらず、色も明るい黄だ。これはお高かったでしょう」

「いや、さすがは長崎屋さん、分かりますか」

多寿屋とおろくが、それは得意げな表情を浮かべたので、今日の来訪の目的は、高額な品の自慢であろうと見当がつく。多寿屋は、おろくの着物や刺繍《ししゅう》入りの紙入れの事まで、細かく説明をしてから、妻のおたえはいないのかと話を振ってきた。

「おなごは綺麗な品が好きだと申します。おろくは、おたえさんとこういう品物の事を話せたら、楽しいだろうと言うのですが」

何しろ鼈甲や珊瑚《さんご》、金唐革《きんからかわ》の話をするとなれば、金の無い相手では無理だ。その点、廻船問屋で上方との取引があり、裕福だと噂《うわさ》の長崎屋の妻であれば、おろくは心置きなく高直《こうじき》な品について、話が出来るというのだ。

だが藤兵衛はこの願いを聞き、少しばかり困った表情を浮かべた。

「おたえと、鼈甲の簪の話をしたい、ねえ」

とにかく取引相手から是非と言われ、藤兵衛は女中頭《じょちゅうがしら》のおくまを奥へやり、部屋にいる妻へ話を伝えた。だが程なく部屋に戻ってきたのは、おくまだけであった。

「若だんながまた熱を出されたようで。おかみさんは、しばし離れで付き添っているから、店の方へは行けぬと言われまして」

最後に、病《やまい》がうつってはいけない故《ゆえ》、見舞いは遠慮するとの話がくっついていた。

「それは大変残念です。心残りですわぁ」

そういう話になっても、夫婦は小半時《こはんとき》程も物の自慢を続け、その後、ようよう帰った。するとその帰宅を待っていたかのように、奥から看病中である筈のおたえが現れる。藤兵衛がにやりと笑いかけた。

「おたえ、一太郎《いちたろう》がまた病になったのかい？」

「ええと、熱が上がるかと思ったんですけど……寝込まずに済んだみたいですねえ」

「おや、良かったな。ところで、おたえが離れで看病とは珍しい」

若だんなのことは、そこいらの医者よりも薬に詳しい手代《てだい》仁吉と、もう一人の兄や佐助が受け持っているのだ。藤兵衛が妻の目を覗《のぞ》き込むと、おたえはぺろっと舌を出した。

「今日はふっと、離れへ行った方がいいかなって、気持ちになったんですよ」

どうしてでしょうねえと、おたえは飄々《ひょうひょう》と言う。

「多寿屋のおかみさん、簪や着物の自慢を、あたしにしたいって言ってたんですって？」

要するにおたえは、そんな事はご免であったらしく、またちろりと舌を見せる。

「綺麗なものは好きですけどねえ。あたし、自慢話は苦手なんですよ」

「おろくさんは、自慢の鼈甲の簪を、お前に見せびらかしたかったんだろう。確かに素晴らしい品だったからね」

藤兵衛はここで妻に、珊瑚とか鼈甲の簪が欲しいかと聞いてみた。しかしおたえからの答えはない。既にさっさと、自分の部屋へ帰ってしまった後であった。

「おたえ、私だって妻に、簪くらい買えるよ」

居なくなった妻に、藤兵衛は言ってみる。そもそもおたえは、亭主に物をねだった事など、ほとんど無かった。たまにとんでもなく高直な品を欲しがったりはするが、それは大概、一太郎の為《ため》の品だ。

「入《い》り婿《むこ》は、甲斐性《かいしょう》が無いと思われているんだろうか」

藤兵衛はちょいとばかり、悔しくなった。しかし、直《す》ぐに気を取り直す。

「ああでも、欲しいと言わないからって、妻に物を贈っちゃ駄目だという訳でもないか」

おたえに似合う品が手に入ったからと、さらりと贈ればいいのだ。藤兵衛は今や大《おお》店《だな》の主《あるじ》、多寿屋夫婦が羨《うらや》ましがる程の素晴らしい品も、買える筈《はず》であった。

（おたえ、喜ぶだろうか）

そう考えると、気持ちが弾んでくる。こっそり買って驚かせようと、商《あきな》いのため他出した折り、藤兵衛は一人買い物に出たのだ。

ここで守狐が顎《あご》を上に上げつつ、一旦《いったん》言葉をくくった。

「それで藤兵衛旦那《だんな》は舟を下り、小僧を先に店へ帰した訳だな」

すると周りの妖達から、一気に問いが降ってくる。

「おいおい守狐。ただ買い物に行っただけなら、藤兵衛旦那はどうして三日も、長崎屋を留守にしてるんだい？」

金次と仁吉と鳴家《やなり》達が声を揃《そろ》え、若だんなと屛風《びょうぶ》のぞきも、不審げな表情を浮かべている。守狐は、先があるのだから落ち着いて聞けと、皆をなだめた。

「勿論《もちろん》、旦那だって最初は、さっさと買い物を終え、早めに帰る心づもりだっただろうさ。ところがだ。多寿屋の女房おろくの簪より、良いと思う品が見つからない」

おたえは家付き娘で、金子《きんす》に困ったことの無い育ちだ。そして、長崎へも船を出す長崎屋のおかみであるから、高額で珍しい品を、既に多く持っていた。

「つまり藤兵衛旦那は、一体何を買えばいいのか、大いに迷ったのさ」

結局藤兵衛は、通町で何も見つけられなかった。仕方なく、おたえが余り行ったことのない神田辺りへ向かったに違いないと、守狐は言葉を続ける。舟を頼み、藤兵衛は通町から離れたのだ。

ところが。

「神田でも、思う様な品が無かったんだな」

藤兵衛は困り切った。

「そんなとき、たまたま小間物《こまもの》屋へ入った。するとそこで、可愛《かわい》らしい品が目にとまったと言うわけだ」

本当にそんなことがあったのかは分からない。しかしそれでも、守狐は断言した。藤兵衛の目が吸い寄せられたのは、そう多分、いやきっときっと、一つの盆栽《ぼんさい》だった筈だというのだ。

「蕾《つぼみ》がふくらみ始めた、八重桜《やえざくら》の盆栽だ。満開になったらさぞ綺麗だろうと、藤兵衛旦那は一目で惚《ほ》れたんだ」

その品ならば、おたえも喜ぶこと間違い無しと思われた。しかし。

「その盆栽は、店主の父親の形見だとかで、大枚出しても売っちゃもらえなかったんだ」

藤兵衛が余程がっかりした顔をしたからだろう、小間物屋は藤兵衛に、似たような盆栽を売っている場所を、教えてくれたのだ。

「その場所は……うん、そうだ、染井村《そめいむら》だな。親が桜の盆栽を買ったのは、染井村だと、小間物屋は言ったんだ」

そこに行けば、目の前にある盆栽よりも、もっと立派な鉢とてあるかもしれない。それを聞いた藤兵衛は、そろそろ日が傾いてきたというのに、染井村に行きたくて、たまらなくなってしまった。

「それで小間物屋に、近くの宿を紹介してもらい、藤兵衛旦那は泊まった。翌日、染井村に行く事にしたってわけだ」

まだ木戸《きど》が閉まっていなかったから、この時人を頼んで、長崎屋へ事情を知らせる事は、出来た筈であった。しかし藤兵衛はそのまま、染井村へと向かった。

「夜分に長崎屋から、誰か迎えに来られるのが、嫌だったんだろうよ」

いやもしかしたら、桜は要らないから早く帰るよう、おたえからそっけない伝言を貰《もら》うかもと、それを恐れたのかもしれない。とにかく藤兵衛は、桜を求めて進んでしまったのだ。

「これが今回の、他出の訳だな」

守狐が自慢げに言うと、屏風のぞきが守狐に顔を向ける。

「一日目、旦那は神田へ行った。二日目、染井村へ向かった。そのあと、帰ってきていない訳は？」

染井村に行って盆栽を買ったとて、藤兵衛ならば舟も駕籠《かご》も雇える。長崎屋へ帰ってくるのに、二日もかかる筈は無かろうというのだ。

すると守狐が、腕組みをして首を横に振った。

「多分、あんまり植木屋が多くあるんで、目当ての店が直ぐには、見つけられなかったんじゃないかね。それか染井村には丁度、桜の盆栽を作っている店がなかったとか」

だがせっかく染井村へと行ったのだからと、また近くに泊まり、あれこれ植木屋を見て回っているのかもしれない。

「こうなると、綺麗な桜の盆栽が手に入っても、後が怖いな。主なのに店を放っていたと、まずは生真面目《きまじめ》な番頭が、小言を言うだろう」

それから若だんなが心配した故、兄や達も一言いいそうだ。日頃主に遠慮のない、女中頭のおくまもぴしりと、何か口にしそうであった。

そして勿論、おたえが溜息《ためいき》をつきそうだと言い、守狐が笑う。

「藤兵衛旦那は、本当にたまにだけど、とんでもないことをする人だからな」

例えば、余所《よそ》で子をこしらえたりした。守狐のその言葉に、妖《あやかし》達が笑い出し、どうやらこの考えに、皆の賛同が集まるかに見えた。だがその時。おもいも掛けぬ言葉が、守狐に向けられたのだ。

「ああ残念だねえ。面白い思いつきだったのに」

にたりと笑みを浮かべたのは、貧乏神の金次であった。

「でも、ちょいと間抜けなところがある話だった。守狐、まだまだ、だぁな」

「ど、どこが間抜けなんだ」

守狐が言いよどみ、皆の目が金次に集まる。すると貧乏神は、まずけらけらと笑った。

「染井村の植木屋に用があるなら、旦那はわざわざ、遠くまで行く必要は無かった筈だ」

藤兵衛が直《じか》に、植木屋を知っていたかどうかは、貧乏神にも分からない。だが、染井村の植木屋と懇意の者が、藤兵衛の知りあいにいるのだ。

「つまりさ、桜の盆栽を持ってきてくれるよう、植木屋に文を出すだけで、事足りたんだ」

染井村から長崎屋まで、重い盆栽を持って帰る手間も、かけずに済む筈であった。

「はて、おとっつぁんの知りあいに、そんなお人がいたっけ？」

若だんなが問うと、金次がにたぁと笑う。

「若だんなだって、一度は会った事があるだろう。藤兵衛旦那の友には、吉原の楼主《ろうしゅ》がいる。ありんす国の店の主さ」

「へ？　ああ、確かに楼主は知ってるけど」

だがそれと盆栽が、どう繋《つな》がるのかと、若だんなが納得出来ない顔をしている。するとその横で、仁吉と佐助が笑い出した。

「ああそうか。吉原じゃ、春に桜を植えますからね」

佐助によると、吉原の通りには春になると、染井村から大きな桜が運ばれてくるらしい。

「根のついた木を通りに植え、いつもは何もないところを、桜の並木に変えるんですよ。そうやって吉原に来た客人達を、喜ばせようという趣向です」

花盛りの時だけ桜を植え、花見を楽しむ訳だ。そして、花が雪のように散ったら引き抜き、吉原の道から桜は消える。

「若だんな、旦那様はつきあいで、何度も吉原へ行かれた事があります。有名な吉原の桜の事を、知らない訳がありません」

藤兵衛はわざわざ、盆栽を売っている店の名も分からず、品物があるかどうかさえ定かでは無い染井村へ、一人行く必要など無かった。吉原の楼主に口をきいて貰い、染井村の盆栽を手に入れる事が出来た筈なのだ。

「ああ、話に妙な点が見つかった。こりゃ守狐の考えも、違うようだな」

つまり藤兵衛の行き先は、染井村でもないのだ。三番目の思いつきも外れと決まって、長崎屋の離れでは野寺坊が、皆の心の内を代弁するかのように言葉を漏らす。

「やぁ、恐ろしく分からないもんだの。藤兵衛旦那、今、どこにいるのやら」

三日前、一体何があったのか。皆の顔つきは、段々と真剣なものになってきていた。

5

ここで若だんなが、くるみ込まれた分厚い掻《か》い巻《ま》きをぐいと握りしめると、妖達の顔を見つめる。それから三日前とは、どんな日であったか、皆に尋ねた。

「あの日、何か気になる事はなかったっけ」

「三日前？」

きゅい、きゅわ、きゅげと声が上がり、鳴家達が、今日は大福餅《だいふくもち》、昨日は羊羹《ようかん》、一昨日は金平糖だったと数え出す。

「三日前のお八つは、団子でした」

「三日前といやぁ、品川からこの通町に戻ってきた時かの。通りが何時《いつ》になく騒がしかったな」

品川は楽しかったと、金次が何故《なぜ》だか怖いような笑みを浮かべる。その横で、野寺坊と獺《かわうそ》が顔を見合わせた。

「確か我らは、犬に追われた日だったたな」

二人が頷《うなず》く横で鈴彦姫《すずひこひめ》が、あの日は大事にしていた土鈴《どれい》を、落として壊したと言う。

屏風のぞきは、昼寝から飛び起きたと言い、守狐《もりぎつね》達は、珍しく稲荷寿司《いなりずし》のあげを煮る時、焦《こ》がしたと白状した。

若だんなが最後に、兄や達へ目を向けると、二人は答えを揃える。

「三日前というと、若だんなが離れで薬湯《やくとう》をこぼした日ですね。その後、もう薬は飲まないと言い出して、夜着《よぎ》の下に逃げ込みました」

「……そんなこと、あったっけ?」

そう言えば、もう幼子ではないのにと言われ、兄や達に叱《しか》られた気がする。

「うーん、思い出したくない事だったかも」

しかしあの日の薬湯ときたら、血の池地獄もかくやという赤黒い色で、若だんなですら飲むのをためらう代物《しろもの》だったのだ。

「そうそう、うっかりこぼして鳴家にかかったら、小鬼が赤鬼になってしまって。かわいそうな事をしたよ」

若だんなが頭を、ちょいと右に傾ける。

「何だか三日前、みんな、落ち着かなかったみたいだね。追いかけられたり壊したり、失敗したり」

なんぞ訳があったかなと問うと、仁吉が落ち着いて理由を告げた。

「若だんな、雷のせいですよ。ほら、雨も降っていないのに、ここずっと、空雷が続いているでしょう？」

雨を伴わず雷だけが鳴る、からかみなり。三日前は一際《ひときわ》大きな落雷があり、若だんなはその音に驚いて、薬湯の椀《わん》を落としたのだ。きっと犬が走ったのも、屏風のぞきが飛び起きたのも、同じ音のせいだろう。

「ああ、そういえば」

今日も不吉な音が鳴っている空を見て、若だんなが、ふっと不安げな様子になった。

「まさか、おとっつぁん、あの雷に打たれたんじゃないだろうね？」

黒こげになって、どこの誰かも分からなくなり、放っておかれているのではないか。そう話す若だんなの顔から血の気が引いて、白くなってくる。だが佐助は、きっぱりと首を振った。

「雷が落ちたとき、旦那様はまだ小僧の梅丸と一緒にいました。道の先でざわついている人を、見ておいでだったそうですから」

つまり藤兵衛は雷に直撃され、長崎屋へ帰って来られない訳ではないのだ。

「うん……良かった」

若だんなはほっと息を吐き、しかし直《す》ぐ、表へと顔を向けた。

「そう言えば、最近本当に雷が多いね」

若だんなは寸の間腕組みをした後、兄や達二人へ顔を向け、やはり一度、表へ様子を見に行きたいと言い出した。藤兵衛が姿を消した所へ、行ってみたいのだ。

「そうすれば、何か摑《つか》める気がするんだ」

何かいつもと違うことが、藤兵衛の身に、起きたに違いないのだ。しかしそうと言われても、仁吉も佐助も、やっぱり出かけて良いとは言ってくれない。

「若だんな、三日も前に雷が落ちた所へ行ったったって、何が分かると……ああ、さっさと搔《か》い巻《ま》きを脱いでしまって。駄目ですよ」

佐助が急ぎ綿入《わたい》れを着せかけ、若だんなを長火鉢の横にとどめる。

「表には風が吹いてるんですよ。地面から埃《ほこり》が舞い上がってます。塵《ちり》も転がってます。風邪をひいて寝込んで医者を呼んで、仁吉がまた苦い苦い薬を、桶《おけ》一杯作る事になったら、どうするんです？」

「でも、私は行きたいんだ！」

「金次も言っていたでしょう。旦那《だんな》様を見つけたいのなら、この場で考えて下さいと」

兄や達は、譲歩してくれない。若だんなは、ぐっと唇を嚙《か》みしめた。

「己で確かめられないなんて、まどろっこしいじゃないか。そうだ、仁吉の薬湯を一度で飲みきれたら、外出してもいいだろ？」

「勝負、しょーぶー。ぎゅんわ、なら薬湯より鳴家《やなり》としょーぶー。若だんな、鳴家に勝ったら、一緒に外へ行くの、どう？」

「ああ、それならば頑張るよ」

若だんなが張り切って言うと、鳴家達は大喜びで、花林糖の争奪戦を宣言する。すると山程の鳴家達が天井から降りてきた上、周りの妖達も、鳴家だけにそんな面白いことをさせてはなるものかと、立ち上がった。

「小鬼達なんか、この屏風《びょうぶ》のぞきの相手じゃないけどな。だが若だんなに勝ったと、威張《いば》らせるのは癪《しゃく》だしな」

「いつの間に、そういう話になったんだ！」

「いいじゃないですか、仁吉さん。若だんな、あたしが勝ったら、一緒に通町へ連れて行って下さいな」

鈴彦姫が言えば、野寺坊と獺は、己達が勝ったら、酒宴を開いてくれれば良いと言い出し、段々話が逸《そ》れてゆく。

そうしている間に、守狐達の数もぐんと増え、離れは妖達で一杯になっていった。

「守狐こそ、この長崎屋で一番の名誉を、得ねばならないーっ」

「おーっ」という雄叫《おたけ》びと共に、ふさふさの尻尾《しっぽ》が一斉に振られる。金次が大きめの花林糖を一つ手に取ると、残りの菓子は菓子入れの茶筒《ちゃづつ》に入れ、小簞笥《こだんす》の中にしまった。

「それでは、この花林糖を手に入れた者が、勝者と決定だ。手に入れて、我の所に持ってきな。食べるんじゃないぞ。砕いてしまったら、そいつは失格だ」

金次はさっさと場を仕切り、若だんなは真剣に頷き、妖達は面白い遊びが始まると、皆大いに張り切って身構える。

「おい、馬鹿《ばか》を言ってるんじゃない」

兄や達は慌《あわ》てているが、こうなったら止めきれるものではない。

「こら、止《や》めろっ」

その声を合図にしたかのように、金次は花林糖を宙に放り投げた。小さな菓子に、どっと皆が詰めかける。

「わあっ」佐助が若だんなを守ろうとするが、当の若だんなも、花林糖に突っ込んでいったから、捕まらない。仁吉は必死に、作ったばかりの薬湯を、数多《あまた》の妖達から避《よ》ける羽目になった。

「若だんな、無茶をしたら寝込みますよっ」

「離れからは出てないもの、いいじゃないか」

「ぎゅげーっ」

何しろ菓子へ駆け寄った妖の数が多いから、互いにぶつかって進めない。鳴家が鈴彦姫の肩を蹴《け》って、宙に飛び出すと、まず花林糖を摑む。すると、その小鬼の足を、屏風のぞきが引っ張った。

だがその小鬼を、横から獺がくすぐったものだから、笑い出した鳴家が花林糖を放り出す。「わーっ」菓子へ、野寺坊と若だんなの手が伸びる。しかし別の鳴家が、屏風のぞきの頭を踏んづけ、思い切り飛んで、花林糖を摑んだ。

「ぎゅい、やたーっ」

鳴家は一寸、勝利の声を上げた。だが、しかし。鳴家の前を守狐達が塞《ふさ》ぐと、後ろに回り込んだ一匹が、上から手を伸ばして菓子を取り上げる。すると守狐の前に、若だんなが立った。

若だんなはにこりと笑うと、守狐の前に手を差し出し、いつもの調子で「ちょうだい」と言ったのだ。若だんなを甘やかす事に慣れている妖は、つい手のひらに花林糖を載せてしまう。

「おい、馬鹿っ」

仲間が慌てて止めた時には、若だんなは金次の方へ花林糖を持った手を、差し出していた。だが金次へ菓子が渡る前に、横から飛んできたものがあった。

「きょんいーっ」

少し前の事、部屋中を駆け回り、飛び上がり、すっかり面白がった鳴家の一匹が、守狐の尻尾を掴んで引き寄せ、大いに嫌がられたのだ。守狐が思い切り尾を振ったので、掴んでいた鳴家は部屋の中を、花林糖の方へと飛んだ。

「きゅーっ」

空をゆく鳴家は、若だんなが持っていた花林糖を、咄嗟《とっさ》に手で掴んだ。そして菓子を手にしたまま飛んで、壁にぶつかると、金次の所に真っ直ぐ向かったのだ。

「しまった！」

他の妖《あやかし》達と若だんなが、これは負けが決まったと、顔を強《こわ》ばらせる。

その時であった。

突然離れが稲光《いなびかり》で真っ白になった。同時に雷鳴と地響《じひびき》で部屋が揺れる。そして、エレキテルの筋のような光が、部屋内に幾つも走った。ばちっと大きな音がし、尻《しり》を抱えた鳴家が「ぎゃっ」と悲鳴をあげると、花林糖と一緒に落ちる。そこへ若だんなが手を伸ばし……しかし花林糖は摑めなかった。

「わっ、危ないっ」

目の前で剣呑《けんのん》な明るい光が、踊り狂っていた。光はばちばちと音を立て、触れたものを焦がす。仁吉と佐助が、風のような早さで若だんなの身を摑み、弾《はじ》ける火花から守った。妖達は悲鳴を上げ、頭を抱える。

また、大きな雷鳴が辺りに響いた。

「ひえっ」

一斉に皆、畳の上にしゃがみ込む。

やがて全員が、そろりと目を開けた時、砕けた花林糖と目を回した鳴家が、畳の上に転がっていた。

「大きな雷が落ちる時、その周りには、数多の小さな雷が、同時に出来ているものなのです」

雷が収まった後、万物を知る白沢、仁吉は若だんなを長火鉢の横に座らせ、落ち着いて説明を始めた。それによると、今回のように細かい雷が辺りに散るのは、この世の常なのだという。ただ、いつもの小雷《しょうかみなり》はずっと小さいし、大きな雷の光に隠れ、大概目に見える事などないのだそうだ。

しかし、ここ何日かの雷は、平素と大いに違うようであった。小雷に花林糖を砕かれ、己も尻を焦がした鳴家は、泣きべそをかいて、しょげている。若だんなが手ぬぐいで巻き懐《ふところ》に入れても、一匹だけ声も上げず大人しくしているのだ。

「かわいそうに、怖かったね」

若だんなが鳴家を撫《な》でている横で、花林糖を失い勝負が流れてしまった事を、妖達が残念がっていた。

「褒美《ほうび》の酒が飲めなくなったのぉ」

「野寺坊、酒どころの話ではない。お前達が無茶をしたんで、若だんなが雷に打たれる所だったではないか！」

不機嫌な表情をした佐助が、屏風のぞきをぽかりと殴ったものだから、何で己だけがと、妖が怒る。

「大体小雷と、我らの競争は無関係だ！」

「そうだな。雷に罪はないが、お前さん達には、馬鹿を始めたことを怒らねばならないだろうさ」

「あらま、何でです？」

鈴彦姫を始め、妖達は一斉に不満げな声を上げる。しかし、佐助が屏風のぞきの口元をひねりあげた横で、若だんなは表情を明るくしていた。

「ねえ仁吉、佐助。いくら何でも今の小雷って、どうにも妙じゃなかったかい？」

「妙と言いますと？」

わめき始めた屏風のぞきが、周りにいた鳴家達を佐助に投げつけ、逃れようとする。鳴家達は「きゅわー」と興奮した声を上げて飛び、大いに楽しんで佐助の頭にしがみついた。

「小雷なんて、今まで部屋内で見る事など無かったじゃないか。まるでそう、上から雷が落ちてきたんじゃなくて、この地の上から、四方へ雷が走っているみたいだった」

きっと雷に、何か異変があったのだ。そして、大きな雷鳴が響いた三日前から、藤兵衛は帰って来ない。

「つまり、雷とおとっつぁんが帰って来ない事は、関係があるんだと思う」

若だんなはそう推測をつけたのだ。

「おとっつぁんの身に何があったのか、一つ考えついた」

仁吉が顔を上げ、若だんなに茶を淹《い》れてから座り直す。鳴家を頭から引きはがした佐助や、他の妖達も若だんなの方を向いた。

「でね、もし私の思いつきが外れてなかったら、おとっつぁんは近くにいることになる。誰かに迎えに行って貰《もら》いたいんだ」

「はて、旦那様はどこにおいでなんでしょう。何故《なぜ》帰らなかったかも、分かりましたか？」

仁吉が問う。兄や達の方を見て、若だんながはっきりと頷《うなず》く。

「おとっつぁんは、自身番屋《じしんばんや》にいると思う」

「自身番屋？　寄合所《よりあいじょ》にしたり、人別帳《にんべつちょう》管理など町内のあれこれを行う、あそこですか？」

あちこちにあるが、どこの自身番屋だろうかと兄や達が問う。若だんなはにこりと笑うと、茶筒に残っていた花林糖を木鉢に出してから、話を始めた。

6

「ひえええええっ」

「きょげーっ」

二時程経《た》った後、長崎屋の中にまた、小雷が走っていた。先刻《せんこく》佐助が、若だんなの考えに添って主《あるじ》を迎えに行き、無事、藤兵衛と共に戻ってきたのだ。

だが藤兵衛は、一人ではなかった。連れがいたのだ。そしてその者が来た途端、長崎屋の中に小雷が溢《あふ》れた。

「ぎょわっ」

鳴家が頭を雷で焦《こ》がし、廊下にひっくり返る。守狐《もりぎつね》達は藤兵衛そっちのけで、おたえを雷から守る為《ため》、母屋《おもや》に走った。鳴家を袖《そで》に入れていた若だんなを、兄や達が連れて逃げる。

「おや、このばちばちと光っているものは、何かね？」

いきなり皆が慌て始めた店の中で、六畳間に落ち着いた藤兵衛一人が、小雷には巻き込まれず、ゆったりと首を傾《かし》げていた。

「それにしても、店に出した文が、届いていなかったとは思わなかったよ」

舟を下りた後、直《す》ぐには店へ帰れなくなった藤兵衛は、子細《しさい》を書き、側《そば》にいた子供らに文使いを頼んだのだ。だがその文は届かなかったらしい。

「おとっつぁん、こういう小雷が今、通町のあちこちで暴れてるんです。小雷が文を燃やしてしまったんですよ」

駄賃《だちん》を貰えなくなるから、子供らはそのことを、藤兵衛には言わなかったに違いない。

「これは心配かけたね」

藤兵衛は謝りつつ、店の者達が駆け回っているのを、少し狼狽《うろた》えて見ている。だが、どうして小雷が辺りで弾けているのか、分かっていない様子であった。

「若だんな、考えが当たりましたね」

若だんなを小脇《こわき》に抱えた兄や達が、ちらりと視線を藤兵衛の連れに向ける。人に姿が見えぬのをいいことに、鳴家《やなり》達も数多顔を出し、興味津々《しんしん》、一緒に騒いでいた。

ここで若だんなが、大きく溜息《ためいき》をつく。

「当たったのは、半分だけだよ。私だって、おとっつぁんが、まさかああいう子を連れてくるとは、思わなかったもの」

先刻、やっと帰ってきた藤兵衛が、長崎屋に伴ってきたのは、小さな子供であった。いや、とにかく藤兵衛はそう思っているようで、迷子だから、落ち着き先が決まるまで世話をするつもりだと、皆に言ったのだ。

しかし若だんなの考えを聞いた後、通町の自身番屋へ藤兵衛を迎えに行った佐助は、藤兵衛の連れを一目見て、首を振った。その子が人でないことが、直ぐに分かったからだ。長崎屋へ帰ってくると、白沢である仁吉が、子供の正体をつぶやく事になった。

「おい、あの子は……」

言いかけた途端、小雷が弾け、仁吉は若だんなを己の陰に隠す。

「まさか、こうも派手な事になるとは」

抱えられたまま、若だんなは眉尻《まゆじり》を下げている。先刻離れで若だんなは、藤兵衛が帰らぬ訳を、こう推測していたのだ。

「おとっつぁんが舟から下りようとしたところで、雷が鳴った。そして通りの先で、何やら人が集まって、ざわついてたそうだね」

つまり、三日前雷が落ちた通町で、何かが起こったに違いない。

「その後、この辺りじゃ変わった事が続いている。何かって？　ほら、不思議な雷だよ」

つい今し方も、この部屋の中で異変が起こった。エレキテルのような小さな雷が、横に走ったのだ。

鳴家が尻を焦がし、花林糖が砕けた。しかし、大きな雷が鳴ったからといって、そんな小雷が走る事など、今までは無かったのだ。

だが妖達は、暢気《のんき》に首を傾げている。

「あー、そうでしたっけ？」

「三日前、おとっつぁんが居なくなった。そして、同じ頃から、奇妙な小雷が走るようになった」

不思議な事が重なっているのだ。ひょっとしたら、二つのことは繋《つな》がっているかもしれないではないかと、若だんなは言う。

「で、騒ぎの元は、何なんです？」

ここで若だんなは、天から何か雷の元が、落ちてしまったのではないかと言い出した。

「例えば、雷鼓《らいこ》とか。ほら、雷様が持っているという太鼓だよ」

「雷鼓ですか。そりゃ絶対に落ちない、とは言い切れないでしょうが」

だが、そんなもの凄《すご》いものが通町に落ちたら、今頃町一つ吹っ飛んでいる気がすると、仁吉は首を傾げた。

「そういう噂《うわさ》は聞きませんが」

「あら、外れかな。でも、何か雷の元が落ちてきたんだと思うんだ。だから小雷が、そこいら中で弾けてるんじゃないかと」

そして藤兵衛は、その何かの為に忙しくなり、店へ帰れないに違いない。

「だからおとっつぁんは、三日前に舟を下りた所から、大して離れていない場所、案外近くに居るんじゃないかな」

近くの自身番屋に聞けば、居所が分かるのではと、若だんなは思っている。

「ならば私が一走りして、通町近辺の自身番屋を見て来ましょう」

佐助がそう言うと、「一番ーっ」と言って、鳴家達も飛び出して行った。あちこちの家に巣くっている鳴家が行けば、噂話が集まる。短い間に、藤兵衛へ行き着くに違いない。

そして佐助は、鳴家達の助けもあって、本当に早く藤兵衛を見つけだし帰ってきた。しかし一緒に見つけたのは、雷鼓では無かったのだ。

小雷が四方へ飛ぶ。皆が逃げ惑う。若だんなは兄や達と共に、隣の一間に逃げ込むことになった。とにかく、小雷は強烈であった。

「やれ剣呑《けんのん》な。若だんな、これはあの子供のせいですよね、絶対」

若だんなの横で、万物を知る白沢、仁吉が大きく溜息をついた。そして小声で、子供の正体を告げたのだ。

「若だんな、あの子は雷獣《らいじゅう》です」

「雷獣って？」

「雲の上にいる妖《あやかし》で、時に、落雷と共に地に落ちると言われております」

雲に乗り空をゆくものであった。誤って落ちると、稲妻《いなずま》のように木を裂き、人を害することもあるらしい。その姿は、見かけられた所によって様々に語られているが、子供の姿の雷獣は、仁吉も初めて目にしたという。

「はっきり言って、危険です」

仁吉の説明を聞くまでもなく、今、長崎屋の店内は禍《わざわい》で満ちていた。エレキテルの火花のようなものが、飛び交い、「きょんわっ」と、誰が発したのか分からない悲鳴が上がり、皆が店内を逃げている。

「おとっつぁん、その子、どうして引き取ったの？」

若だんなが問うと、この時部屋内で一人落ち着いていた藤兵衛が、子供の事を語り始めた。三日前の雷の後、子供を天水桶《てんすいおけ》の横で見つけたのは、藤兵衛だという。

「実はね、安野屋《やすのや》へ寄って、栄吉の作った菓子を、土産に買うつもりだったんだよ」

藤兵衛は先だって、若だんなの幼なじみである栄吉が勤めている店の、主に会う機会があったのだという。栄吉はまだまだ修業が必要と言われてはいたが、主は褒め言葉も口にした。

「八つ時、店の者に出すお八つとして、栄吉が煠出《あげだ》しいもをこしらえたそうだ。そいつは、よくあるものと違って甘く、美味《おい》しかったっていうんだよ」

藤兵衛はその芋を是非、若だんなへの手土産にしたくて、舟を下りたのだ。

「そしたらねえ、迷子を見つけてしまった」

三つほどに見える子供はろくなものを着ておらず、その上口が酷《ひど》く重かった。藤兵衛は、大層子を哀れんだのだ。

「親の名を聞いても、住んでいる町の名を聞いても、首を横に振るばかり。それでも近くに親がいるだろうと、探したんだが」

しかし、誰も子の名を呼んではいなかったのだ。

「それで私は仕方なく、町の自身番屋へ、この子を連れて行ったんだよ」

「迷子は、その子が見つかった町が、養わなくてはなりませんからね」

主が淡々と語っているせいか、小雷が飛び交う中で、兄や達が静かに頷いている。

捨て子や迷子は、親が見つからない場合、拾われた町の者達が責任を持つ事になるのだ。大概は町役人が、養子の先を探すことになる。疱瘡《とうそう》や麻疹《はしか》など、病で子が亡《な》くなることも多いから、貰い先は結構見つかった。もし駄目な場合は、町が十過ぎまで子を養い、その後奉公先《ほうこう》を見つけるのだ。

だが三日前、天水桶のある町の町役人は、自身番屋へ来てくれたのはいいが、常にない子供の外見を見て、良い顔をしなかった。藤兵衛が連れていったのは、雷獣の子。ぎょろりとした目よりも、長く鋭い爪《つめ》よりも、何とはなしに剣呑なその様子に腰が引けたのだろう。

しかし藤兵衛は子供を遠巻きにし、関わりたくなさそうにしている町役人らに、腹を立てたのだ。

「親とはぐれた、小さい子供じゃないか。見た目が可愛《かわい》くないからって、邪険にするのは可哀想《かわいそう》だよ」

それで藤兵衛は、とにかく長崎屋へ、しばし留守にすると文を書いた。それから、最初に見つけたのは己だからと言って、子と一緒に自身番屋に泊まりこみ、三日間、親を捜し回っていたのだ。

「ああ、それでおとっつぁんは、なかなか帰ってこられなかったんですね」

藤兵衛は安心させるつもりなのか、雷獣の子へ笑みを向けている。剣呑な子も、藤兵衛にだけは、小雷を喰らわさないでいるようであった。仁吉はそんな主に、またそっと溜息を漏らした。

「旦那《だんな》様は昔から、我ら妖に鈍いというか、全く分からないお人でした」

そのおかげで、長崎屋の離れで妖達が騒いでも、大丈夫なのだとも言えたが。

「だが雷獣が来てから、小雷が派手に散ってます。それでも妖だと気がつかない旦那様って、いっそ凄いと思いますね」

藤兵衛は商いでは鋭いのに、どうしてそうなのだろうと、二人の兄やは眉根を寄せている。己の親の事ではあったが、これればかりは若だんなにも、とんと訳が分からなかった。

「まあ妖の血を引くおっかさんと、添って長いんだもの。慣れきってるからじゃないかな」

「そうですか、ねえ」

話している間に、また「ぎゃっ」と声が上がって、鳴家が一匹落ちてくる。若だんなが、急いで拾ってから上を眺めると、数多《あまた》の鳴家達が天井に逃げていた。雷獣が呼んだのか、開け放たれた障子《しょうじ》の向こうに、濃い灰色の雲が渦巻いており、迫力があった。

「ねえ兄や達。雷獣の子を、空の上へ帰す事は出来ないかしら」

このままでは本当に、その内長崎屋が燃えてしまう気がする。兄や達は、確かにそれが良いだろうと言ったが、問題はその方法であった。

「雲が低く垂れ込めています。もしあれに載せる事が出来たら、空へ戻ってくれるでしょうが」

「ねえ、お空に帰りたい？」

若だんなが尋ねると、子供は黙ったまま頷《うなず》き、雲を見ている。

しかし問題はどうやって小雷をまき散らす雷獣を、雲の上まで上げるかということであった。そもそも危なっかしくて、雷獣を摑《つか》む事すら出来そうもない。ぱしっと離れで火花が散って、焦《こ》げを作った屏風《びょうぶ》のぞきが悲鳴を上げる。何だか、屏風のぞきがいなくなりそうで、急に不安になった若だんなは、もう待てなくなった。空を見上げ、ぐっと唇を嚙《か》むと、それから騒ぎを連れてきた主《ぬし》、藤兵衛へと目を向けた。

「おとっつぁん、ちょいとその子を……抱き上げてくれませんか。その、怪我《けが》や病がないか、確かめておきたいので」

「ああ、構わないよ」

周りが小雷から逃げ回っている中、藤兵衛は子供へためらいもせず、手を伸ばす。若だんなが強《こわ》ばった表情を浮かべたその時、藤兵衛はあっさり雷獣を抱き上げた。

途端、若だんなは懐《ふところ》に抱いていた鳴家に、小声で頼み事をしたのだ。

「おとっつぁんの目を、塞《ふさ》いでおくれ」

「きゅい」

鳴家が藤兵衛の頭に飛び乗り、両の手で目を塞ぐ。

「おや？　どうしたのかな、前が見えない……」

藤兵衛が戸惑いの声を上げたその時、若だんなの考えが分かったようで、佐助が大きく頷き、さっと藤兵衛へ駆け寄った。

佐助は藤兵衛の足を摑むと、庭へと走りつつ、雷獣を抱いた主を思い切り振り回したのだ。

「ひえっ、何が起こって……」

前が見えないまま、佐助の力で回された藤兵衛が、悲鳴を上げる。

その時！　真上に振り上げられた所で、藤兵衛の手から雷獣が飛び出した。そして高く高く、空へと舞い上がっていく。

「届くか……」

若だんなが心配げに、その姿を目で追う。雷獣はどこまでも、上がってゆくように見えた。しかし空とそこに浮かぶ雲は、更にその遥《はる》か上にあるようにも思えたからだ。

すると。

「おおっ」

目を回して庭にへたり込んだ藤兵衛の横で、兄や達が声を上げた。天へと上がってゆく雷獣の近くで、その身を包みこむようにして、雲が湧《わ》き出したのだ。

雲は雷獣をすっかり隠してしまうと、たちまち大きく膨れあがり、直《す》ぐに天の風に流されてゆく。そして天から降りてきた子は、もう二度と地へは落ちて来なかった。

しばし、若だんな達は天を仰ぎ見る。遠くから一度だけ、小さな雷鳴が聞こえて来た。長崎屋の内の小雷は、雲が連れて行ったかのように、その輝きを消した。

そして。

幾らか経《た》った後、藤兵衛の戸惑うような声が、聞こえて来たのだ。

「な、何なんだろうね。目の前が暗くなったかと思ったら、目がまわった……」

「おとっつぁん、三日も無理をしていたから、倒れたんですよ」

若だんなが、少し眉尻を下げつつ、庭へ降り、そっと親に寄り添った。藤兵衛には悪かったが、気を失っていた事にしようと、そう決めたのだ。

そうして随分と時が経った事にし、その間にあの雷獣の子に、迎えが来たと話した。

「おや、私は随分長く、倒れたままでいたのかい？　おお、その間にあの子の親が、店へ訪ねて来たんだね」

　思っていたより疲れていたのかと溜息《ためいき》をついた後で、それでも子の親が見つかって良かったと、藤兵衛は縁側に腰かけ、笑みを浮かべている。

　すると仁吉が珍しくも、若だんなではなく藤兵衛へ、薬湯をこしらえるから飲んでくれるよう言い出した。若だんなの言葉は方便だったが、三日も雷獣の親を捜し回っていた藤兵衛が、疲れているのは本当であろうからだ。

「うん、おとっつぁん、とにかく今日はもう、ゆっくりして下さい」

　若だんなが笑うと、怪異《かいい》が収まって、やっと落ち着いてきた長崎屋の面々が、主の無事を確かめにくる。その時、奥からおたえもやってきて、藤兵衛の姿をみると側《そば》へ寄ってきた。

「ああ、あんた。やっと帰っておいでですね」

「うん。でも土産の煠出しいもを、買い忘れてしまったよ」

　藤兵衛がそう言うと、おたえが明るく笑う。そしてその内、一緒に買いに行きたいと言うと、藤兵衛が、それは嬉《うれ》しげな笑みを浮かべたのだった。

長崎屋のたまご

序　長崎屋《ながさきや》特製、ゆでたまご

長崎屋の庭を駆け回る鶏が生んだ、玉子の調理法。

・用意するもの
鍋《なべ》　水を入れておく。
玉子　二十個（昨日と今日、庭から集めた分）。鳴家《やなり》達が好きなため、数は多め。
塩　少々。
水を張った、たらい。

・用心するもの

ゆで玉子を作ると言うと、家を軋《きし》ませる小鬼の鳴家達は、玉子焼きにしようと言い出すこと多し。しかしそれだと、いつまでたってもゆで玉子を作れないので、きちんと駄目だということ。

・作り方

玉子を洗っておく。

玉子がかぶるくらいの水を入れた鍋に、塩と玉子を入れ、長火鉢《ながひばち》の火にかける。

沸騰《ふっとう》したら火から下ろし、鍋に蓋《ふた》をする。

鳴家達三匹に、順番に六十数えてもらう（三分）。それからもう一匹に、三十数えてもらう（三十秒）。その後、ゆでた玉子を鍋から取り出し、たらいの冷たい水の中に入れる。

十分に冷えたら取り出し、手ぬぐいの上に玉子を並べておく。

（注意）

長崎屋では、守狐《もりぎつね》達がこしらえた稲荷寿司《いなりずし》に、海苔《のり》で目鼻を描いた事があった。それが好評だったからか、妖《あやかし》達はゆで玉子にも、絵を描くようになった。筆で描くのは海苔を使うより簡単なので、若だんなも一緒に、好きなものを玉子に描いて楽しんでいる。

墨《すみ》で描くことが多いが、最近は、梅干しを漬けた時出る赤い汁や、露草《つゆくさ》の花を潰《つぶ》した青、山梔子《くちなし》の実を水につけた黄色なども使う。故《ゆえ》に、最近の長崎屋の玉子は、華やかで綺麗《きれい》。

絵が描けたら、長崎屋特製、ゆで玉子のできあがり。

鳴家達は、玉子に己《おのれ》の顔を描くことが多い。

だが食べる時、絵を描いた玉子の殻を割らなくてはならないので、小鬼達は悩んでいる。

玉子を食べるとき、塩など振ると美味《おい》しい。

1

その日の午後の空は、春先の海の水を天へ上げたような、そんな明るい青色をしていた。そして、その空色は、夕刻が近づくにつれ、少しずつ柔らかくなっていった。

長崎屋の若だんな一太郎《いちたろう》は、熱が昨日で下がり、咳《せき》は二日前に、胃痛は三日前に治まったので、今日は結構元気であった。よって久しぶりに離れの縁側に座り、のんびりと暮れる少し前の空を眺めていた。

「ああ、昼がじきに、夜へと移り変わってゆくね」

夕刻が近づき、青い空が、西から段々華やかな色に染まり始めている。西の雲が茜《あかね》がかった黄金のような、輝かしい色合いを帯びてきたのだ。それは改めて見ると不思議な、そしてきらびやかな一時だった。

「きゅー」

何匹もの鳴家達があくびをしつつ、若だんなの懐《ふところ》で、寝ぼけた声を出している。若だんなが着せられている暖かい綿入《わたい》れに、入り込んでいるのだ。

若だんなは、大妖《たいよう》である祖母の血を引いているので、長崎屋の離れには妖達が集まり、日々のんびりと暮らしていた。

「ああ、端の方の雲が綺麗だ。ねえ、鳴家」

「きゅい、大福《だいふく》を焼く、炭火みたいな色」

言われて見ている内に、夕焼け雲は真っ赤に染まり始めた。もう少ししたら、空全体が夕暮れの色に包まれる筈《はず》だ。若だんなが小鬼達に、じき夕餉《ゆうげ》だからねと言って笑う。

その時。

空で、不思議な事が起こった。眺めていた茜色の雲の端が沸き立ち、くるりと丸くなったのだ。

「おや？」若だんなが首を傾《かし》げていると、丸い雲は大きな塊《かたまり》から離れて、すいと空を駆けた。そしてあちこちの雲にぶつかりつつ、長崎屋の方へと落ちてくる。

「ひゃあっ」

以前、空から落ちてきた雷獣を思い出し、思わず声を上げた途端、丸いものは一度、母屋《おもや》の屋根で大きく跳ねた。それから中庭で弾むと、何度も跳ね続けた後、やがてころろと地面に転がった。

「あれまあ……何が起こったんだろうね」

若だんなは湯飲みを盆に置き、沓脱石《くつぬぎいし》から庭へと降りる。鳴家達は、揃《そろ》って綿入れから顔を出した。

「きゅんい？」

「何かしら」

若だんなは落ちたものを手に取った。それは、つい今し方まで見ていた空のように、不思議と明るい青色をしており、まん丸い。手まりというには小さく、鶏の玉子よりは、ぐっと大きかった。丁度片手に収まる程の玉を見て、首を傾げる。

「はて……何だか分からない代物《しろもの》だね」

綺麗で心そそるが、正体の知れないものには違いない。

「こんな品をそのまま黙って持ってたら、兄《にい》や達が眉間《みけん》に皺《しわ》を寄せるかな」

若だんなは少し笑った。そして青い玉を縁側の盆に置くと、万物を知るという白沢《はくたく》、兄やの仁吉《にきち》に事を知らせようと、母屋へと向かったのだ。

すると。

暗がりから、沢山の鳴家達が離れに現れてきた。そして興味津々《しんしん》、盆に載っている玉の周りに集まってくる。

「きゅんい……何かな」

「これ、綺麗なの、何かな」

「青い。きゅわー、空みたいに青い」

「鳴家、気に入ったよ」

「我も、我も、とても気に入ったよ」

要するに鳴家達は、天から落ちてきた何かを手にとってみたくて、たまらなかったのだ。そして若だんなは鳴家達に、玉に触ってはいけないとは言わなかった。だからその、つまりその、触っても良いに違いないのだ。鳴家達は頷《うなず》き合う。

多分、その方が嬉《うれ》しいから、いいに違いない。

「鳴家が先に、玉、調べてみるんだ。きゅい、若だんなの為《ため》に、調べてみる」

そう言うと一匹が手を伸ばし、玉を持ち上げた。

「ぎゅい、青くて、ちょこっと白い！」

昼間の空に、雲が浮いているかのようだ。鳴家は嬉しくて、玉を頭の上に高く掲げた。

「きょんいーっ、鳴家一番ーっ」

目を輝かせ雄叫《おたけ》びを上げると、周りにいた他の鳴家達も、玉を欲しがって手を伸ばしてきた。どうしても欲しいという小鬼が、沢山現れたのだ。

よって離れの中は、一気に喧嘩《けんか》状態へと突入してしまった。

「鳴家んだーっ、これは鳴家のものっ」

「我も鳴家だぁ」

「ぎゅい、我もーっ」

大勢の鳴家達が一斉に摑《つか》みにかかったものだから、たまらない。押し合いへし合い、誰が何をしているのか直《す》ぐに分からなくなる。すると誰かが蹴《け》ったのか、取ろうとして手を滑らせたのか、玉が鳴家の山から飛び出した。それは縁側から落ち、大きく跳ねると、離れから飛び出していってしまう。

「ぎょんげーっ、一大事っ」

大事な玉を無くしたら、若だんなは怒らなくても、きっと仁吉は怒る。他の妖達は、面白げなものを失った鳴家に文句を言うだろうし、屛風《びょうぶ》のぞきときたら、鳴家を笑うに違いなかった。

「あいつは性格、悪い。だから、鳴家が間抜けをしたって、決めつけるかも」

「きゅん、きっと、決めつける」

恐ろしい事態であった。

「玉、取り返す！」

数匹の鳴家達が、大急ぎで玉を追いかけ始める。

しかし軽い為か、それとも色が似ている空に引かれるのか、玉はぽんぽんと弾んで、あっさりと塀を跳び越えてしまった。長崎屋の外へ出ると、それでも止まらず跳ねてゆく。

鳴家達は必死に屋根に飛び移って、玉の後を追った。

「あれ、青い玉が無いね」

寸《すん》の間《ま》の後。母屋から仁吉を伴って帰ってきた若だんなが、縁側に置かれた盆に、湯飲みしか載っていないのを見て、庭で首を傾げた。

離れに残っていた鳴家達は、皆、必死にそっぽを向いて、問われる前から我は知らぬと言い始める。仁吉が、大きく片眉《かたまゆ》を上げた。

「おやぁ、鳴家、お前さん達は賢いのだろう？　なのに青い色をした、不思議な玉の行方を知らないのかな？」

「我ら……見てません。玉、勝手にどっか、跳ねてった」

一匹がそういうと、他の鳴家達も揃って頷く。すると若だんなが苦笑を浮かべ、左の木戸《きど》の方と、右の一の倉の方を指さした。

「あのね、どっちに跳ねたか、分かる鳴家はいるかな？」

「若だんな、あっち」

皆が揃って木戸の外を指さす。すると仁吉が得意満面な一匹の口元を、きゅっとひねり上げた。

「痛ひゃい、きゅう、ふぎゅー……」

「きっと鳴家達が玉をおもちゃにして、塀の外へ蹴り飛ばしてしまったんでしょう」

それから仁吉は若だんなの方を見ると、軽く首を振る。

「さて、空色の玉と言いましても、見てみなくては、何だか分かりませんな」

「仁吉でも、話を聞いただけじゃ駄目か」

鳴家達が、玉の後を追いかけていった仲間がいるというので、若だんなと仁吉は、縁側に座り、少しばかり待ってみる事にした。若だんなは病み上がりだし、外へ探しに行かせる訳にはいかないと、仁吉がきっぱり言ったからだ。

「それに、そろそろ逢魔時《おうまがとき》、つまり大禍時《おおまが》ですから。禍々《まがまが》しき者達が、天にある雲の上に湧《わ》いて出る刻限です。外出など、とんでもない」

数多《あまた》の魔が生まれた後、家々はゆっくりと闇《やみ》の内に包まれてゆくのだ。よってこの後は、魑魅魍魎《ちみもうりょう》がうろつく夜の刻限。賢い者ならば、家から出ぬ方が良い時となってゆく。

するとこの時、その話を聞いたのか、仁吉をからかうような一言が、庭から聞こえた。

「おや、そんなに夕刻の魔が怖いかね。こちらのお兄さんは、背の高い御仁《ごじん》であるのに、随分と気が小さいようだよ」

聞き慣れぬ声であった。若者の声であった。若だんな達が思わず声の方へ目を向けると、いつの間にやら長崎屋の中庭に、客が来ていたのだ。

見慣れぬ格好をしており、洗い髪が乾いていないのか、束ねない総髪《そうはつ》を背に垂らし、わずかな風に揺らしている。茜色の着物は、夕暮れ時にやって来た客として、ふさわしいようにも見えた。

2

「きゅぴ、玉が止まらないよう」

「何で止まらないの？」

「玉に聞いてみなきゃ」

「一度玉を止めてから、聞かなきゃ」

しかし玉は止まらないので、聞く事が出来ない。よって玉も鳴家達も、店や長屋の間の小路を飛び跳ね、長崎屋からどんどん離れてゆく事になった。それこそ、屋根から屋根へと飛び移って追える鳴家でなければ、到底玉にはついていけないところだ。

見下ろせば鳴家《やなり》達の足の下には、大工に左官《さかん》、ぼて振《ふ》りなどがいて、皆そろそろ仕事を終え、家に帰ってゆく。だが鳴家は人には見えない妖《あやかし》だから、誰も屋根の上を駆け抜けてゆく小鬼達には、気がつかない。

「ぎゅい、いつ止まるの？」

一匹の鳴家が、走りつつ玉に声を掛けてみたが、どういうつもりなのか返答がない。じれた鳴家の一匹が、玉がぽんと跳ね上がるのに調子を合わせ、屋根を思い切り蹴って玉に飛びついた。

「きゅい、やたーっ」

寸の間、玉を摑めた鳴家が、得意げな声を出す。だが、直ぐ玉は下へ落ち、長屋の板葺《いたぶ》き屋根を止めている石にぶつかったので、小鬼は「ぎゃっ」と悲鳴を上げた。一瞬玉から手が離れ、慌《あわ》ててまたしがみつく。

だが鳴家は、ここで首を傾げた。

「ふかふか。気持ちいい」

玉が急に、ふんわり柔らかくなったのだ。鳴家はこのまま、その暖かいものを握りしめていたかった。だがちょっと首を傾げる。

「あれ、目の前が青くない」

握りしめた玉が、白と茶のぶちに変わっているではないか。鳴家は顔を顰《しか》め、体を横にずらしてみる。すると、そこには尻《しり》を摑まれて不機嫌になった、大きな猫の顔があった。

「ぴぎゃーっ」

悲鳴を上げた途端、猫は前足で、もの凄《すご》い一撃を繰り出してくる。鼠《ねずみ》などを倒すのに使う、猫の必殺攻撃であった。

「ぎょわっ」

だが妖である鳴家たるもの、猫ごときにやられたのでは、格好がつかない。数多の家の鳴家達に馬鹿《ばか》にされ、この先他家の屋根の下へ行けなくなるではないか。鳴家は咄嗟《とっさ》に口を開けると、殴りかかってきた猫の足に、思い切り嚙《か》みついたのだ。猫のもの凄い鳴き声が響き渡り、鳴家が振り払われる。二匹は戦いに入った。

「きゅー、頑張って」

「あ、玉見つけたぁ。我ら、先に行く」

「きゅいっ、分かった」

嚙みつき合う二匹を置いて、他の鳴家達は、また青い玉を追っていった。

「おやおや、突然現れたこの御仁は、人ではありませんね」

離れの縁側で立ち上がると、仁吉は若だんなの横で、やって来た若者を見下ろしつつ言う。すると思わぬ客人《きゃくじん》は、その一言を聞いて笑い声を上げた。

「そんなことが一目で分かるなんて、お前様も人とは違うようだ」

総髪の若者は、己は百魅《ひゃくみ》というと、不思議な響きの名を告げる。それから百魅はにっと笑い、己がどうしてこの長崎屋にやってきたのか、若だんな達に話し始めたのだ。

百魅はひょいと、空にある雲を指さした。

「あたしは、今お前さん達が見てた、あの美しい雲の中で生まれたんだ。いつもはあの、茜色《あかねいろ》の雲の上にいるのさ」

つまり百魅は逢魔時に生まれた、百人いるという魔の一人なのだ。

「先刻《せんこく》、沸き立ったその雲の中で、あたしは玉を見つけてね。真っ白な玉だった」

百魅にはその玉が、特大の玉子に見えた。大層美味《おい》しそうだったので食べようとしたところ、何の玉なのか分からないのに食べるんじゃないと、他の魔に止められたのだ。

「あたしが見つけたんだから、あたしのもんだ。なのに三十魅《さんじゅうみ》ときたら、少し先に生まれた兄貴だからって、一々あたしのやることに口を出してくる奴《やつ》なのさ」

日頃大して構ってくれないのに、三十魅は百魅を叱《しか》る時だけ、間を置かずに兄貴面《づら》して現れる。つまりそういうわけで、三十魅と百魅は玉を挟み、盛大な喧嘩となったのだ。

勿論《もちろん》三十魅は強い。だが他の兄弟魔達が、同じ雲で生まれた末っ子の百魅を応援するから、何とか対抗できた。

ところが。

「そうしていたらね、雲の上であの玉が、突然ぽんと跳ねたんだよ」

玉は輝く雲から飛び出し、夕焼けになる前の、最後の青空に引っかかった。すると空をまとって青く染まり、白い雲まで巻き付け、下へ下へと落ちてしまったのだ。

「おや、あれはやはり、普通の玉子ではなかったんですね」

納得する若だんなの前で、百魅が上を指さした。

「おかげでほら、空の一部が抜けちゃった」

見てみなよと百魅に言われ、若だんなと仁吉は、夕刻の空を見上げる。今は茜がかっている空に、妙に四角っぽい、何とも不思議な形の雲が浮いていた。

「あれは雲じゃないよ。空が破れて、白く見えてるだけなんだ」

百魅の言葉を聞いた仁吉が、大いに難しい表情を浮かべた。

「そいつは拙《まず》いですね。今日は雲と間違えても、その内、皆に気味悪がられそうだ」

何しろ破れた空は雲ではないから、風に流されて動いたりしない。毎日毎日同じ場所に、奇妙な形の雲が出続けていたら、人々は嫌でも、異変に気がつくだろう。

「三十魅ときたら自分も関わったのに、破れた空の事で、あたしを叱ったんだ」

百魅は思い切りふてくされた表情となる。しかしとにかく、百魅が玉を落としたことは間違いない。仕方なく空を元に戻そうと、百魅は空を巻き付けた玉を拾いに来たのだ。

「喧嘩している場合じゃないからね。地に降りたまま夜になっちゃ、あたしらは雲に戻れなくなってしまう」

逢魔時の魔は、空の輝く一時に現れる者なのだ。夜の闇は、また別の者達が支配するところ。よって百魅は早く青い玉を探しだし、とっとと雲へと帰らねばならなかった。

「玉は確か、この家の庭に落ちた筈《はず》だよね？」

なに、空は直しておくから大丈夫だと請《う》け合ってから、百魅は若だんなに、返しておくれと両の手を差し出す。若だんなは、戸惑《とまど》うことになった。

「それがその、確かに玉は、この庭に落ちたんですが」

しかし玉は離れの外へと、跳ねていったようなのだ。今、長崎屋の小鬼達が追いかけていると伝えると、百魅は口を尖《とが》らせた。

「あらら、どうして一度庭に落ちた玉が、また外へ跳ねたのかな。その小鬼達とやらが、おもちゃにでもしたのかね」

多分そうでしょうと言い、若だんなが素直に謝る。すると百魅は、大いに拙いなぁと言い、溜息《ためいき》をついて空を見上げた。

「あのね、逢魔時は、別名大禍時。その時生まれる魔達は恐ろしい者達なんだよ。何しろ魔だからね」

己もその魔に違いないのに、百魅は他の魔の事を、大いに怖そうに語った。このままだと百魅は、そして玉を失った若だんなも、茜色の雲に住まう数多の魔から、大層責められるに違いない。

「きっと皆に食われちまうね。特に三十魅は根性が悪いから」

一方百魅は、役にたたぬとそしられ、雲に居づらくなるかもしれない。

「何しろ相手は、あの三十魅だから」

大事《おおごと》になりそうだと聞き、若だんなは気を揉《も》むことになった。

「済みません。その、鳴家達は玉のことを気に入っていたから、持って帰ってくると思うんですが」

「もし、玉に逃げられたら、何とする？」

逢魔時の雲から放り出されたら、百魅には行くところがない。どうしてくれるのだと言い出したのだ。

「ああ、じゃあこうしよう。もしその小鬼達が玉を持って帰って来なかったら、あたしはこのまま、この店にいることにするよ」

なに、仁吉や小鬼達のように、人でない者でも暮らしてゆける場所らしいから、百魅がいてもかまわないだろう。魔は明るくそう言った。

「三十魅がいる所よりは、人の間に交じる方が、ましかもしれないな」

しかしこの言葉を聞いた仁吉は、とんでも無いと言い、直《す》ぐに首を横に振った。

「逢魔時に生まれた魔など、この離れには置けませんよ。そんな事をしたら、他の魔達が、この長崎屋に目を向けます」

百も魔が現れたら、仁吉や佐助《さすけ》でも、若だんなを守りきれないかもしれない。

「絶対に不承知です。若だんなは体が弱いんですからね」

「なんだい、あたしが虐《いじ》められて、雲から突き落とされてもいいというのか」

若だんなが返答に困り、黙ってしまうと、仁吉は怖い表情を浮かべ、好き勝手な事を言い出した夕暮れ時の魔の襟首《えりくび》を摑《つか》んだ。そして雲から突き落とす代わりに、塀の外へと放り出そうとする。

「ここは人が営む店で、魔が集《つど》うところじゃない！　帰れっ。破れた空のことは、こちらで何とかする」

「何とかって、地に住む者が、どうするつもりなのさっ」

大体空を知らぬ者が、どうやって空に登るのかと、百魅はわめく。仁吉が黒目を、針のように細くした。

「百魅とやら。そもそもお前さんが、空から玉を落としたのが悪いのだろうが！」

「その大事な玉を、失ったのは誰だい」

百魅を長崎屋から出そうとする仁吉と、三十魅に叱られたくないのか、居座ろうとする百魅が言い争いとなった。

「あれまあ、仁吉、喧嘩《けんか》は止《よ》しとくれ」

若だんなは眉尻《まゆじり》を下げた後、小鬼達が出て行った木戸の方へ目を向ける。しかし、帰ってきた小鬼の姿は、そこにはまだ無かった。

3

「玉、たまーっ、青い玉、知らない？」

「きゅわ、綺麗《きれい》なたまーっ」

商家の二階、鬼瓦《おにがわら》のある立派な屋根の上から四方を眺め、鳴家《やなり》達が玉の行方を捜していた。

先刻、一瞬玉から目が離れてしまった。すると玉はあっという間に、その姿を隠してしまったのだ。

「ぎょげー、玉が無いと困る」

「鳴家が困る。若だんなも困る」

「困ったら、どうなる？」

きゅんいーとか細く鳴く声が、夕方の江戸の空に流れる。空は先刻と比べると、茜色の下に紺色を刷《は》いたようになってきていて、まるで錦絵《にしきえ》のようだ。

「どうしよう。仁吉さんに叱られる」

進む方向が分からず、戻る事も出来ない。鳴家達が屋根の上で一塊となって、小さく鳴いていると、そこに声がかかった。

「おや、屋根に鳴家がいるじゃないか。こりゃ丁度良かった。気晴らしをしたかったんだ」

声は下から聞こえたので、鳴家達は屋根の端に並んで、下の小路を見下ろしてみる。すると、長屋脇《わき》の道から上を見上げていたのは、いかにも人の良さそうな、ぷくりと肥えたお人であった。

宝物でも入っているのか、何やら大きな袋を背負っている。男は鳴家達においでおいでをすると、「遊ぼう」と言って、笑いかけてきた。

「御身《おんみ》らは、跳ねていった玉を探しているんだろう？」

ならば己と遊んだら、後で玉がどちらへ跳ねていったか、教えてあげようと男は言ったのだ。

「きゅぎ？　遊ぶ？」

揃《そろ》って首を傾《かし》げた鳴家達は、人には見えない筈の小鬼なのに、どうやって見つけたのか男に聞いてみた。だが。

「だってさ、見えたんだもの」

そう言われてしまっては、仕方がない。しかし鳴家達は今、楽しく遊ぶわけにはいかなかった。

「ぎゅげー、鳴家、急いでる」

男と遊んでもし面白かったら、鳴家はきっと一杯一杯、遊び続けてしまう。そんなことをしたら夕餉《ゆうげ》までに帰れないし、若だんなにご飯を分けて貰《もら》えなくなるから、お腹《なか》が空《す》くに違いなかった。

若だんなだって、鳴家達が遊び疲れるまで待っていたら、心配するだろう。

「だから、駄目」

「おお、空きっ腹になるのは可哀想《かわいそう》だな。じゃあ、ほんのちょっとの間だけでいいさ」

「ちょっとだけ？」

このままでは玉が跳ねていった先は分からないし、遊ぶのは楽しそうであった。一番手前にいた鳴家が頷《うなず》くと、男はそれは嬉《うれ》しそうに、にこりと笑った。

「さて、何をして遊ぼうかね。いや最近、この辺りに来た時は橋姫《はしひめ》を慰め、話を聞かねばならなくなってなぁ。すると直ぐ日が暮れてしまって、他のことが出来ぬのだよ」

ぷくりと肥えた御仁は、綺麗な橋姫と話すのは嫌ではないと言い、笑いを浮かべている。だがちょっと疲れたので、楽しく遊んで気晴らしをしたいのだそうだ。

「橋姫って、誰かな？」

「きゅい、何する？　くすぐりっこ？　かくれんぼ？」

するとその時であった。男と鳴家達の近くから、ちょいと怒った声が聞こえて来たのだ。

「ちゅー、ああ、やっと見つけました。我が主様《あるじさま》、勝手に消えてはいけませんよ」

どこから声がするのかと、鳴家達は辺りを見回したが姿がない。だがその内、小路にいる男の足下に、小さな鼠《ねずみ》のような姿を見つけ、目を丸くした。

鳴家達は小鬼故《ゆえ》、若だんなの袖《そで》の内に入るほど小さい。よって、いつもは大概の者達から見下ろされているのだ。己達よりもずっと小さな者と向き合うのは、久方ぶりであった。

主様と呼ばれた男は、優しげな顔でその鼠を撫《な》でた。

「おや根棲《ねずみ》。お前も一緒に遊びたいかい？」

一休みしているところだよと言い、袋を抱えた男は笑っている。すると根棲は「ぢゅー」と言って溜息をつき、お子の事代《ことしろ》が主を探していたと告げた。

「何でも、また橋姫様が泣き出したとか。もう、九千八百三十五回目なのだとか」

三日前から既に百二回、続けて話を聞いている事代は往生しており、主に救いを求めているのだ。つまり根棲曰《いわ》く、今はどう考えても、鳴家と気軽に遊んでいる場合ではないのだという。

「それに話が聞こえましたが、鳴家方も探しているものがあるようです。なのに、引き留めてしまったようじゃ、ありませんか」

根棲は、主が迷惑な事を言って済みませんねえと、小さな身をぺこりと折って、鳴家達に謝ってくる。狼狽《うろた》えた鳴家達が、頭を下げ返していると、根棲の後ろにいた主が大いに拗《す》ねた顔をした。

「せっかく鳴家達が、遊んでくれると言ったのに。ちょっとだけのつもりであったのに」

根棲は頭が固い、気が利《き》かぬと主は言い立てる。勿論《もちろん》、己がまた江戸の地に来たのは、橋姫を慰め、その役に立つ為《ため》ではある。

だが、だがだが。

「九千八百三十六回目の、橋姫の愚痴《ぐち》を聞く前に、息抜きしてもよいではないか!」

それでも私の使いなのかと、男は根棲に問うた。だが根棲は、「ふん」と言ってちっちゃな足を踏ん張り、顎《あご》を上げたのだ。

「我が使いでなきゃ、ちゅい、誰が主様の使いだっていうんですか！」

根棲は気が強いらしい。手のひらに載る程小さいのに、子供のように腹を立てている男を、見下ろすような目つきで見ているのだ。

それがまた、男の気に障《さわ》ったようであった。言っている事の正しさなど微塵《みじん》も考えず、男は両の足を踏みしめ怒鳴った。

「我は怒ったぞ。今日はもう働かぬ」

そもそも主は己で、根棲は使いなのだ。根棲ごときに、そんなきつい事を言われる覚えはないと言い、男は背を向け、細い路地の端っこに座り込んでしまった。

「ちょいと主様。大《だい》の大人が、なんですか。御身の立場で、その言い様はないです」

根棲が慌《あわ》てて声をかけたが、主は返答をしなかった。

「主様」

もう一度呼ばれると、今度は露骨に根棲から顔を背《そむ》ける。

「絶対、使いとは話さぬ」

そっぽを向いたまま、主が誰もいない方に向かって言うものだから、小さな根棲がひげをふるわせた。

「そんな行いをなさると、周りの者らが困りますよ」

「ふんっ」

返ってきた言葉はそれだけだ。やりとりを聞いていた鳴家達は、目を見開いた。

「ぎゅい、驚いた。子供みたいな言い方」

「小さな子のやり方」

「この主さん、大人に見えるのに、ぎゅわ、子供だったのか」

「太ったおじさん。でも実は実は、若だんなより小さかったりして」

ならば、やや子のように聞き分けがないのも仕方がないと、鳴家達は言い合う。そうであるなら、これからこの主と遊ぶにしても、難しい遊びは無理というものであった。

「なら、なら、あれがいい」

鳴家達が頷き、根棲が首を傾げる。おや、やはり遊ぶ気なのかと、主が鳴家達の方を振り向いた、その時。

「鳴家ごっこーっ」

鳴家達が一斉に、主と呼ばれる男に飛びついたのだ。そして各自が腰の袋から取り出した小さな墨で、男が鳴家に似るよう、体の上に、あれこれ勝手に描き出した。顔には髭《ひげ》が描かれ、着物の上には、鬼の褌《ふんどし》模様が足されていく。

「わっ、わーっ、これはたまらんっ」

ひゃーと言い、わーっと叫び、主は声を嗄《か》らして鳴家達から逃れようとする。しかし、どうやら己達は楽しく遊べると分かった鳴家らが、主を逃さない。気がつけば主は額に三つ目の目玉を描かれ、半泣きの顔で笑う事になってしまった。

「止《や》めてくれっ」

どこかの長屋の井戸端《いどばた》を駆け抜け、小さな木戸を三つも潜《くぐ》っても、鳴家達は離れない。顔に牙《きば》まで描かれ、主は、小鬼と一つ目小僧と福笑いのお面を、合わせたような顔に変わってゆく。

その内、走り回った主は長屋近くにあった小さな鳥居《とりい》の側《そば》に、へたり込んでしまった。そして己の使いに、救いを求めたのだ。

「悪かった。我が大いに悪かった。根棲、助けておくれでないか」

「ちゅい、主様。そのように素直になられるとは、本心、大いに困っておいでのようで」

根棲は頷くと、さっと近寄って主の体に飛び移る。そして鳴家達が悪戯《いたずら》する手を、尻尾《しっぽ》でぺしりと打ったのだ。

「遊びはここまで！」

両の手を広げ、両の足を踏ん張って主の肩の上に立つと、根棲はきっぱり言い放った。

「済みません、主は橋姫様というお方の所へ、行かなくてはならなくなったのです。鳴家方も、忙しい筈《はず》です。玉を追いかけているのですよね？　そうでしょう？」

ならば急げと根棲は言う。だが墨を持ち、遊び始めたばかりの鳴家は、物足りなさそうに首を振った。

「ぎゅい、でも鳴家は玉の行方を知らない」

だからもっと遊びたいと、鳴家の一匹が言う。あてもなく玉を探すより、こうして遊んでいる方が、楽しいというものであった。

すると根棲が、細い腕を組み己の主の方を振り向いた。

「主様、鳴家達が探す玉を、ご覧になったのですね？　玉はいずこへ？」

主は、やれ働かねばと言ってから、一つ息を吐き立ち上がる。そして西の空を指した。

「青き美しい玉であったな。玉はあの茜色《あかねいろ》の空の方へ、勢いよく跳ねつつ向かっていった」

主はようやっと落ち着いた声を出した。それから、渋々大人しくなった鳴家達へ顔を向ける。

「御身達が探している玉だがのぉ。あれがどういう代物《しろもの》だか、分かっているのか？」

「玉？ 丸い。青い。綺麗」

「いや、そうではなく」

主は素直な小鬼達の返答に、少し笑い出した。

「あの青い玉だがな、とても……どう見ても、ただの玉には見えなかった」

主によると、玉は跳ねても跳ねても止まらなかった。おまけに小鬼ですら追いつけないほど、凄《すご》い早さで通り過ぎていった。

「あの玉をうっかり捕まえると、とんでもない事になるかもしれん。気を付けなさい」

もしかしたら放っておく方が、玉にとっても小鬼達にとっても、良いのかもしれぬと言うのだ。小鬼達は顔を見合わせた。

「ぎゅぴー……帰る？ 行く？」

迷った。何故《なぜ》なら玉を逃がしたのは鳴家達であり、このまま放ったままにして長崎屋に帰ると、若だんなに悪い気がするからだ。

寸の間迷い続けたが、やはり行くと言って、鳴家《やなり》達は主の側から離れ、横にある長屋の屋根へと登った。

「気を付けて」

根棲は優しく言い、とても小さな手を振って見送ってくれた。それから主に目を向けると、その手でついでに、ぺちぺちと主を叩《たた》いたのだ。

「主様、大黒《だいこく》様、大黒天様。本当にもう、我《わ》が儘《まま》を言って。事代様、つまり恵比寿《えびす》様がお待ちですよ」

きっと一人で橋姫様のお嘆きを受け止め、困っておいでだと、根棲は言う。橋姫は橋の守護、その地の結界を守る大事な君なのだ。

「大黒天様には七福神《しちふくじん》の一柱《ひとはしら》として、もっと自覚を持って頂かなくては」

その声を屋根の上で聞き、鳴家達は揃って首を傾《かし》げた。

「だいこくさま？　大きくて黒いの？　黒砂糖様？　黒砂糖の大福？」

「えびす様？　すえび様？　素の海老《えび》？」

下にいる主という御仁は、お菓子の親類で、海老のお友達であったのか。そういえば、太っている。持っている袋には、七つの大福が入っているのかもしれないと、鳴家達は言い合った。

「お友達は、甘くて黒い海老……？」

とても美味《おい》しそうには思えない。はてはて、奇妙な御仁と関わったと、鳴家達は首を傾げた。

とにかく鳴家の内、誰も黒砂糖風味の海老のことを、美味しそうだと思わなかったのだ。それで小鬼達は西を向くと、未練なくその場から走り出した。

4

百魅という客人が長崎屋の離れに現れ、珍しくも仁吉と喧嘩《けんか》になった。ゆったりと茶を飲んでいる若だんなの横で、二人は言い争いを続けたのだ。

だが幾らもしないうちに、百魅が急に言葉を途切らせ、顔を強《こわ》ばらせた。そして何度か空の方を向くと、若だんな達の前で、酷《ひど》くおろおろとしだした。

「ああ困った。どうしよう、誰か来るみたいだ。きっと三十魅だ。どうしよう」

急いで隠れる所はないかと、百魅は泣きそうになっている。酷く切羽詰まっているのが、若だんなにも分かった。

「そりゃ、人の家の内で勝手を言っていれば、困ることもあるだろうさ」

仁吉は不機嫌なままであったが、何しろ百魅は目に涙を浮かべている。若だんなは可哀想《かわいそう》になってきて、何枚も着重ねて、後ろに大きく垂れている夜着《よぎ》の裾《すそ》を、軽くめくった。

「この夜着は随分と大きいから、隠れたいなら下に潜っていませんか。分厚いし、ここに誰か潜んでも分からないでしょう」

百魅はその一言を聞くと、夜着の下へ飛ぶように滑り込んだ。するとその時、一旦《いったん》は暮れてきたと思った西の空が、また夕焼けの華やかさに包まれたのだ。そしてその明るさと共に、長崎屋の庭に現れてきた者達がいた。

「あれ、何やら禍々《まがまが》しい」

きらびやかな夕日に浮かび上がったのは、人めかぬ面々であった。見た事のない者達は、大きい御仁から小さい者まで、三人いた。

「ああ、やっぱり妙な魔が来てしまった」

仁吉がさっと若だんなの前に立って、その身を庇《かば》う。すると恐ろしげな者達は、若だんならにちらりと視線を向けた。

「おや、何と、目の前に人がおるわ」

「おお、一魅《いちみ》よ。ここは人が暮らす、地の上であるからして、そりゃ居るわな」

我らは下界に降りてきたのだからしてと、横に立つ細い者が言う。

「そうだった。三十魅、五十魅、して、百魅はどこだ」

一魅が問うと、三十魅が怖い笑いを浮かべ、辺りを見回した。

「百魅は玉をこの庭へ落としたのだ。よって百魅はここへ来た筈だ」

なのに百魅の姿がない。魔達は顔を顰《しか》めた。特に三十魅と呼ばれた者は、怖い顔をしている。

「百魅はさっさと玉を拾い、直《す》ぐ茜の雲へ戻ってくるべきなのに。この地ではその内、夕暮れ時の輝かしさが終わってしまうぞ」

仲間の魔達は仕方なく、百魅の様子を見に来たらしい。

「特に今回は」三十魅は言う。

「何より九十八魅《きゅうじゅうはちみ》の事があるからな。百魅はさっさと戻るべきだ」

「うん、人の地に落ちた九十八魅の無事を、確かめるにも、時が必要だからな」

「九十八魅？」

夜着の下から思わず声を出したのは、百魅であった。若だんなと仁吉はひやりとして、思わず顔を見合わせる。

百魅は慌てて口をつぐみ、それきり黙ったが、魔達は何やら疑り深い眼差《まなざ》しとなり、縁側に座った若だんな達を見てくる。若だんなは我慢できず、庭に現れた茜色の魔達へ、恐る恐る声を掛けた。

「あのぉ、九十八魅とは、この庭に落ちたという玉の事なんでしょうか」

すると。

「おお、おお、人が声を掛けてきたぞ」

「我らの事が、見えておるようだ」

「我らの声が聞こえておる。話も耳にしているではないか」

さっきから大きな声で話しているのに、それを聞かれた事に、全員が驚いている。

どうやらいつもは姿も声も、人には感じられぬ御仁らであるようだ。

「あのぉ、お前様方を見たり聞いたりしては、いけなかったんでしょうか」

すると魔達は、若だんなと仁吉をじっと見つめると、大いに首を傾げた。そして、真剣に話し合う。

「こやつら、妖《あやかし》か……のう？」

「食べられるか、のう？」

「人かもしれぬぞ」

「つまり食べられるかもしれん、かのう？」

二度ほど、若だんなが食べられるかどうか迷った所で、魔達は突然、思い切り長崎屋の地面に叩きつけられてしまった。いつの間にやら佐助が庭に現れ、もの凄く怒った表情を浮かべていたのだ。

「うちの若だんなを食べる、だと？　その前にお前らを、伸《の》し烏賊《いか》ならぬ、伸し魔にしてくれるわ」

もっとも、味醂《みりん》に漬け木槌《きづち》で伸しても、伸し魔では不味《まず》そうだがと、佐助が怒りにまかせて言う。魔達の方も、怒りが飛び移ったようで、眉《まゆ》を引き上げ身構えた。

その時。

「あのぉ、少しお待ち頂けますか。喧嘩する前に、ちょいとお聞きしておきたい事がありまして」

何も、喧嘩を止めはしないから聞いて下さいなと、のんびりした若だんなの声がした。

勿論《もちろん》兄やの佐助は若だんなの言葉を聞いてくれるから、肩から力を抜いた。すると釣られたのか、魔達の方も振り上げた拳《こぶし》を一旦おろすことになった。

「それでそのぉ、あの青い玉が、九十八魅という御仁なのでしょうか」

うっかりただの玉かと思い、生きている魔だとは考えもしなかったと、縁側に座った若だんながロにする。そして、きちんと庭に止めておかなかった、申し訳なかったと頭を下げたのだ。

するると、一魅と呼ばれていた恐ろしき顔の者が、違う違うと言って手を横に振った。

「落ちたという玉は、空の雲の中から湧《わ》き出たものだ。我など見てもおらん」

九十八魅というのは、逢魔時《おうまがとき》に生まれた、百の魔の内の一人であった。何しろ百も魔がいると、呼び名を覚えるのも大変だから、皆大概、生まれた順の数で呼び合っている。

「つまり九十八魅は、逢魔時の雲の内で、九十八番目に生まれた魔だな。玉ではないし、青くもない」

「ではこの庭に、九十八魅と玉、両方が落ちたという事なのでしょうか？」

青い玉は見たが、九十八魅という御仁は見ていないと若だんなが言う。ここで今度は、五十魅《ごじゅうみ》という随分と大きな魔が、ずいと前に身を乗り出し喋《しゃべ》り出した。

「若だんなとやら。御身は、落ちたのに気がつかなかっただけかもしれぬ。何しろ九十八魅は、ことのほか小さくてな」

茜の雲の中でも、どこにいるのか分かりにくい程なのだという。

「余り小さいんでな、我などうっかり蹴《け》ってしまいそうになるのだ」

大きな五十魅はそれで困っていると言って、溜息《ためいき》をつく。魔はそれぞれ大きさ、姿形が随分と違うようであった。

「九十八魅は玉が落ちた後、急にいなくなったのだ。玉に引っかかり、一緒に地へ転げたのだろう」

つまり、多分玉と一緒にいるだろうから、百魅が玉を拾って帰れば、九十八魅も空へ戻る事が出来ると、魔達は考えたらしい。

「沢山仲間がおいでだと、あれこれ大変ですね」

若だんなが心より言うと、魔達はその口調が嬉《うれ》しかったのか、更に話を重ねる。

「だがな若だんな。我らの仲間には、小さい小さい九十八魅より、更に頭を抱える者もおるのだ」

百の魔の内で、一に分かりづらい魔といえば、九十九魅《きゅうじゅうきゅうみ》だという。

「百魅はな、己で最後だと言って、雲の中で生まれたのだ。だから九十九魅も、とうに雲の上に生まれている筈《はず》に違いない。だが、未《いま》だに誰も姿を見た事がなくてな」

数が揃《そろ》わぬのは何とも落ち着かぬと、五十魅が話した。九十九魅を見つけた者は、お手柄だと言われているらしい。

「本当に、雲の上では色々あるんですねえ」

若だんなが興味津々《しんしん》、あれこれ話していると、仁吉が茶を淹《い》れ菓子も付けて出してくれる。

「何も飲まず長く喋っていると、喉《のど》に悪いですよ」

すると若だんなは、菓子鉢に盛られた茶饅頭《まんじゅう》を、一、三十、五十という三人の魔にも勧めたのだ。

「この地の菓子ですが、どうぞ。結構美味しいです」

三人の分も茶が入ると、魔達が寸の間顔を見合わせた。

「おやおや、人の食べる菓子とな」

「ほお、ほお、変わった匂《にお》いがするな」

「なんと、食べてみるのも悪くはないが」

三十魅は、降りてきた地でゆったり飲み食いしていいのだろうかと言い、首を大きく傾げている。しかし離れの陰の中から鳴家達が現れ、客人の茶饅頭へきらきらした眼差しを向け始めると、魔は皆さっさと縁側に座り、ふっくらとした饅頭に手を伸ばした。

その時。

「おや、この手は何だ？」

若だんなが身に被《かぶ》っている大きな夜着の裾から、手がにょろりと出ていたのだ。その手は菓子鉢の方へと伸びると、器用に饅頭を一つ摑《つか》んで、そろそろと戻ってゆく。夜着の端から茜色《あかねいろ》の着物がはみ出しているのを見て、三十魅が咄嗟《とっさ》に、その手を押さえ込んだ。

「これは誰か。この庭に居るのに、我らから隠れているのは、誰か」

思い切り引っ張られて、隠れていた百魅が縁側に転がり出る。その姿を見て、三人の魔の顔つきが怖いものに変わった。

「百魅、ここにいたのか」

「どうして我らに挨拶《あいさつ》をしない？」

「何故《なぜ》、落とした玉を拾って、早々に戻らんのだ」

三魔に問われ、饅頭をくわえた百魅は、寸の間答えに詰まっている。しかし睨《にら》まれて、菓子片手に渋々話し始めた。

「それは……玉が見つからないので」

「では玉を探さず、九十八魅も探さず、ここで茶菓子を食べているのは、どうしてか」

「九十八魅？　何ですか、それは。五十魅、あたしは九十八魅の事など知らない」

逆に百魅から、兄たる魔が玉と一緒に下へ落ちたのかと問われ、三人の魔は顔を見合わせる事になった。ここでまず一番に三十魅が、百魅へ怖い顔を向けた。

「見ていない筈はない。玉と一緒に雲から消えたのだから。お前はいつも、おっちょこちょいで、ずっと、この三十魅に世話をかけ続けで。だからこうして今日も……」

「あたしがお前さんに、いつ世話をしておくれと頼んだ？　三十魅、大きなお世話って言葉もあるんだけど、知らないのかい」

「な、何だとっ。ずっと力を貸してやっておるのにっ。感謝が無い」

「何であたしがお前さんのお節介に、感謝をすると思うのさ」

いつもいつもいつも、いじめてばかりじゃないかと言って、百魅は大きく舌を出し、三十魅に顰めっ面《つら》を向ける。

「なにおうっ」

大声が長崎屋の中庭に満ち、若だんなが呆然《ぼうぜん》とし、兄や達が顔を顰めた。若だんなは思わず、本当に魔達の声が人に聞こえないのか、母屋《おもや》の店の方へ目を向けてしまった。

5

「玉、珠、たま、どこーっ？」

「あおい玉、どこへいったのぉ？」

鳴家《やなり》達は屋根づたいに、更に西へ西へと向かった。お江戸の町並みというものは、海の波のように、どこまでも連なっているものだと思う。

だがこうして夕方走っていると、小鬼達には改めて不思議に思う事があった。西へ向かっても、西日はちっとも鳴家達に近づいてはこないのだ。

「我らは一所懸命、西に駆けているのに」

本当はいい加減、西日の近くへ行き着いてもいいと思うのだ。しかし、茜色の雲をまとっている西日と、向き合って話が出来ると思う程に、近寄れた事がない。

「恥ずかしがり屋なのかもしれない」

鳴家達は、雲に隠れる事もある西日を、そう思っている。

「玉ぁ、まだ見つけられない」

とにかく、夕暮れは未だ終わっていなかった。というより、今日は驚く程夕方が長くて、雲が夕焼け色に輝いたまま暮れてこないのだ。

「何だか、妙。でも助かる」

あの甘い黒海老《くろえび》大福様がこっちだと言ったのだから、玉は確かに西にあるのだ。

そうして、屋根から屋根へと走っている途中、鳴家達はある土蔵の上で不意に、妙な声を耳にした。もしやあの青い玉が、お腹《なか》が痛くなって、どこぞにうずくまっているのかもしれない。鳴家達は急いで止まると、辺りの屋根を見回したのだ。

すると。

「何？　あれ、なに？」

鳴家の一匹は土蔵近くで、全くもって幸せではない表情を浮かべた。脇《わき》にある長屋の、板ぶき屋根の上で見つけたのは、青い玉ではなく、わんわん泣いている子供であったのだ。しかも、恐ろしく身の丈が小さい。

いや、小さいなどというどころではなく、子供は先ほど見かけた根棲《ねずみ》の半分にも満たない、手のひらに乗るほどの丈であったのだ。

鳴家達は急いでいたから、側《そば》を通り過ぎる事しか出来ないと思った。だが小さき御仁は急に泣き止むと、目ざとく鳴家達の姿を見つけ、長屋の上から大声を出す。

「あーっ、誰かいた。こら、助けなさい。ほら、そこの小鬼達」

見つかったので仕方なく、鳴家達は足を止める。少なくとも若だんなであったら立ち止まっただろうから、とにかく一度子供へ目を向けた。後々長崎屋の離れで、この小さき子の話をするとき、助けずに置いて逃げたと言ったら、若だんなが悲しげな顔をするに違いないからだ。

正面切って向き合うと、子供は本当に小さかった。屛風《びょうぶ》のぞきの小指の先程しかない。

「きゅわ？　助けろって、何を？」

「この子、か細い。つまり……」

「この子、よっぽどご飯が食べられなかったのかも」

鳴家達は揃《そろ》って、子供を見ると、「ぎゅい」と困ったように鳴いた。

「しょうがない、鳴家のとっときのお菓子、一つあげる」

一匹が長屋へ移ると、腰の小袋から花林糖《かりんとう》の一かけを取り出し、大いに惜しそうに子供へ渡す。すると子は直《す》ぐにかぶりつき、「ちょっと堅い」と不満を口にしつつ、己は魔で、名を九十八魅と言うと教えてきた。そして、空に浮く夕方の雲を指さしたのだ。

「あたしはあそこで生まれたんだ。けど、雲の中から生まれた玉と一緒に、落ちちゃった」

「ぎゅぴ、玉？　それ、青い玉？」

「いいや違う。雲みたいに白い玉だった」

「ああ、鳴家が追っかけてる玉じゃない」

その白い玉は落ちる時、どこかに消えてしまった。そして九十八魅は下へ下へと落下して、雲を突っ切り、風に吹かれ、気がついたら人の住まう家の屋根に転がって……いや、降り立ったのだ。

つまり己は魔で偉いが、見ての通り大層小さき者だ。故《ゆえ》に誰かの手を借りなくては、雲には戻れない。

「ここで行き合ったのも、何かの縁だ。こら小鬼、我を雲に戻せ」

屋根板を押さえている石の横で、偉そうに反《そ》っくり返って、小さな小さな魔は命令する。その姿を取り囲むと、鳴家達は「ぎゅぺー」と言い、首を振った。

「こいつ、馬鹿《ばか》？」

「何も出来ないのに、ふんぞり返ってる九十八魅、阿呆《あほ》？」

「鳴家達は小さな威張《いば》りんぼに、美味《おい》しい花林糖をあげた。もう、十分」

とにかく、早く肝心の玉を追わなくてはならない。鳴家達が駆け出そうとすると、小さな魔が小鬼の髪の毛にとりついた。

「我が命じてるんだぞ。小鬼の分際で、言う事を聞かない気かっ」

「ぎゅんぴー、こいつ生意気！」

芥子粒《けしつぶ》なのに、一番である鳴家にものを言いつけようなど、腹の立つ話であった。鳴家達は九十八魅を捕まえて、あれこれ要らぬ事を言わないように、長屋の屋根板を押さえている石に、縛り付けようとする。すると九十八魅は危険を察し、するりと鳴家の手をくぐり抜けた。

「へんっ、間抜け。捕まえる事も出来ないのか」

「びーっ、九十八魅、石じゃなく猫にくくりつける。それから猫、どこかへ走らせてやる！」

鳴家達は揃って怒り、魔を手で押さえ込もうとした。だが九十八魅は小さくすばしっこいものだから、鳴家達の手をかいくぐり、なかなか捕まらない。その内九十八魅は、近くの二階屋の天辺《てっぺん》まで登って、鳴家を見下ろすと、馬鹿にしたように笑った。

「やっぱり我の方が、すばしこい。我の方が、偉いからだ」

小鬼達など、魔よりも数段下の存在なのだ。頭を低くして、この九十八魅の言う事を聞いていればいいのに、偉ぶった態度を取るからいけない。

魔はそう言い放つと、ぐぐっと身を反らし、天空の方へと顔を向けた。余り反り返るので、その内屋根から転げ落ちそうな程であった。

すると、その時。

しまったのだ。

「ひやぁあああっ」

もの凄《すご》い悲鳴が上がった。空から舞い降りてきたものに、九十八魅は突然掴まれて

「きゅい、鷺《さぎ》だっ」

真っ白く大きな鳥は、餌《えさ》だとでも思ったのだろうか、屋根の一番高いところにいた九十八魅を足で捕らえていた。そして悠々と東の空へと羽ばたいてゆく。

「こらっ、助けろーっ」

上から必死の声が聞こえてきたが、そんなことを言われたとて、鳴家達は鳥ではない。百万が一、ここに若だんながいて追えと言ったとしても、空の上にまでは行けないのだ。

おまけに鷺は、烏《からす》などより随分と大きい鳥だから、鳴家達にとって少々怖い相手であった。嫌みな烏と違って、鷺が鳴家をくわえていった話は聞かないが、鷺は鳥の数倍は大きいから、鳴家一匹掴む事ぐらい楽にできる。

小鬼達はそっと目を見合わせ、揃って横に首を振った。とにかく、鳴家は空を飛べない。つまり魔を助けたいと思っても、どうにもならなかった。

「それに我ら、あの魔を猫に、くくりつけようとしてたところだった」

つまり考えようによっては、猫が鷺に変わっただけではないか。鳴家達は「ぎゅべー」と、しわがれた鳴き声を漏らすと、生意気な魔の幸運を皆で祈る事にした。

「鷺は、不味《まず》そうな魔なんて、きゅわ、食べたくないと思うな」

それにあの魔は嫌みで元気で、驚く程小さかった。だから、ひょっとしたら九十八魅は食べられそうになっても、上手《うま》く鷺のくちばしをすり抜け、逃げられるかもしれない。そう、先のことは誰にも分からないのだ。

「きゅー、くじゅはちみ、頑張って。鳴家達も、玉探し、頑張る。青い玉」

小鬼達は納得すると、皆で屋根の上を西へと駆け出した。

だが。その足は驚く程に早く、屋根の上でぴたりと止まってしまった。

「きゅんわ？」

小鬼達はその時西の空に、青い玉が跳ねているのを見つけた。そしてその玉は何と、鳴家達の方へ跳ねてきていたのだ。

「ぎゅい？」

玉はあっと言う間に、小鬼達の頭の上を飛び越した。それから何故だか、鷺が飛んでいったのと同じ方角へと、向かっていくではないか。

「べー、何で東へ行くの？」

これでは元居た方へ、戻ってしまうではないか。でも、玉がそっちへ跳ねていくのなら、後へ続くしかない。真っ青な玉はありがたいことに、輝かしい夕焼けを受け、大層目立って見つけやすくなっていた。

鳴家達はくるりと向きを変えると、また玉を追い始めた。

6

長崎屋の縁側に、呆然とした顔が幾つか並んでいた。

若だんなと兄や達が目を見張り、逢魔時《おうまがとき》の雲の内からやってきた一魅と五十魅は、横で言葉を失っている。鳴家と屛風のぞき達妖《あやかし》は、嬉《うれ》しげな顔つきを部屋の中から中庭へ目を向けていた。

そして。

皆の注目を浴びつつ、大声で言い争いをしているのは、百魅と三十魅兄弟であった。

「大体三十魅は、昔っから口うるさいんだよ。あたしが一番遅く生まれたからって、何で三十魅に、あれこれいわれなきゃならないんだ？」

そういう三十魅だとて、生まれたのは三十番目で、一魅のように一番最初という訳でもない。なのに威張るというのは、納得出来ないと百魅は言い出した。

すると、三十魅が百魅にぐっと顔を近づけ、睨《にら》み付ける。

「主《ぬし》が一番年下、末の魔だということは、確かなことであろうが。だから皆が心配しておるのだ」

大体百魅は口ばかりが達者だが、やっていることは結構おっちょこちょいだと、三十魅は口にする。だから逢魔時の雲にあった、何だか正体の分からぬ玉を食べようとしたり、その玉を、九十八魅と一緒に地へと落っことしたりするのだ。

「そ、そりゃ、九十八魅を落としたのは、あたしかもしれないけど、知らなかったんだ。それにあれは、三十魅も悪いんだからね！」

「な、なんだとうっ」

「あたしが玉を食べようとしたら、横から手を出して、邪魔したじゃないか。だから、九十八魅が乗っかってるなんてことを見る間もなく、玉を落としたんだよ」

「お前が、妙な代物《しろもの》を食べようとしてたからだろうっ」

二人は庭でずっとずっと、止《や》むことを知らずに言い合っている。若だんなが呆然《ぼうぜん》とそのやりとりを見ていると、佐助は疲れたでしょうと言い、甘いものを母屋《おもや》へ取りにゆく。仁吉は側にすすとやってきて、若だんなにここぞと、世のあれこれを教え始めた。

「若だんな、ただぼうっと見ているだけじゃ、時の無駄ってものです。覚えておいて下さい。これが、兄弟喧嘩《げんか》ってえやつなんですよ」

「あらま仁吉、こういうのが、そうなの」

若だんなが「へぇ」とつぶやくと、離れに居た妖の面々もぐっと興味が湧《わ》いたようで、縁側から身を乗り出し、百魅と三十魅の言い合いに見入る。

そこへ佐助が母屋から、船で運ばれてきたばかりだという加須底羅《カステラ》を持ってきて、あれこれ付け加えた。

「喧嘩口調は続いておりますが、お互い相手の顔なぞ見たくないと言って、離れていったりはしないでしょう？　そんなことをしたって、兄弟じゃ、顔を合わせない訳にはいきませんからねえ」

「さすがは佐助さん。店で毎日水主《かこ》達をまとめている御仁は、言う事が違うよ」

屏風のぞきが、ふんわりした菓子に手を伸ばしつつ、佐助を持ち上げる。だが菓子はいつものように、まず若だんなに差し出された。

「この菓子は滋養《じよう》がありますから、若だんな、沢山食べて下さいね。おや、魔の方々も興味がおありか？　でも、百魅さん達の言い合いが終わらない内に、一魅さん達にだけ出してもいいんですか？」

　すると一魅と五十魅は、百魅と三十魅の喧嘩はいつも、青空が茜色《あかねいろ》に変わって、しまいに夜空になるまで続くのだと言って、溜息《ためいき》をつく。若だんなが笑い出し、二人の魔にも加須底羅と茶を勧めた。

「兄弟喧嘩というものが、そんなに時がかかるものだとは、知りませんでした」

　何しろ若だんなは、たった一人の兄松之助《まつのすけ》とも、余り一緒に暮らしたことがないので、喧嘩などしたことがないのだ。長崎屋に来た松之助は、他の奉公人《ほうこうにん》と共に、母屋に寝泊まりしていた。

「兄弟で喧嘩できるなんて……何だか羨《うらや》ましいような」

「あの言い合いがか？」

　一魅と五十魅は、妖達に交じって縁側で菓子を食べつつ、驚いたように若だんなを見る。それから深い深い溜息と共に、喧嘩中の二人のことを、もっと語り始めた。

「この二人ときたら、いつもいつも、毎日、毎月、一年中、ずーっとあれこれ言い合っておってな。本当に、喧嘩の元がそんなにあることに、いっそ驚く程だ」

　逢魔時の魔達は、大禍時《おおまが》、日と夜の境に生まれた者なのだ。黄昏《たそがれ》の君であり、その魔が生ずる時には、小児を外へ出すなと言われた程の輩《やから》でもあった。魔は人に、恐ろしさをもたらしていたのだ。

「なのに、だ」

一魅は一切れの加須底羅をさっさと食べ終わると、一旦《いったん》言葉を切り、きょろきょろと辺りに目を向ける。笑い声を上げた若だんなが、三切れも載せられた己の皿から一切れを渡すと、一魅は大きく笑みを浮かべ、また話し始めた。

「なのに百魅と三十魅ときたら、大禍時などそっちのけ、互いに目が行っておってのぉ。せっせと争っている。その間に、人の世はすっぽりと夜になり闇《やみ》に包まれ、我らが徘徊《はいかい》する時では無くなってしまうのさ」

最近、これでは拙《まず》いという事になり、百近い魔達が揃《そろ》って、百魅と三十魅に言い合いを止めろと言っていたところなのだ。

「すると二人は、暇になったらしい。百魅など、間抜けなことをしてな。どこかで見つけた玉を囓《かじ》ろうとして、下へ落とした。騒動を引き起こしたのだ」

途端！　喧嘩中の百魅と三十魅が、揃って縁側の方を見ると、断言する。

「百魅が悪いのだ！」

「三十魅が馬鹿なんだ！」

また言い合いが激しくなると、若だんなが眉根《まゆね》を寄せ、兄や達を見る。

「兄弟喧嘩というものは、恋の駆け引きとはかなり違うもんなんだねえ」

随分と言葉がきつい。これではじきに、殴り合いでも始まるのではないか。すると佐助は、にやっと笑った。

「若だんな、兄弟喧嘩ってやつは、人それぞれなんですよ。ですが若だんなは、こういうやり方を、なさっちゃいけません。周りの者達が、心配しますから」

「この身が」「あたしが」「いつ、誰に心配をかけたのだ!」

百魅と三十魅が同時に縁側の方へ向き、また怒りの声を揃える。一魅達が溜息をついた、その時であった。

「ぴ、ぎゅんわーっ」

突然大きな鳴き声が、長崎屋の中庭に満ちたのだ。今にも死にそうな程の、切羽詰まった悲鳴であった。

「鳴家《やなり》、どうかしたの?」

驚いた若だんなが、縁側で加須底羅を食べていた小鬼らへ目を向ける。しかし、鳴家達はきょとんとするばかりで、喉《のど》に菓子を詰まらせた者すらいなかった。

「はて、どうしたことでしょう。今のは鳴家の声に聞こえましたが」

兄や達も不思議そうな顔をして、小鬼達を見る。すると。

「きゅぎゃーっ」

「わひゃぁーっ」

二つの悲鳴と共に空から真っ白な塊が降ってきた。そしてそれは、ものの見事に、百魅と三十魅の頭上へ落ちたのだ。

7

少し前の事。

鳴家達はせっせと、青い玉を追い続けていた。そして、跳ねて遠ざかる玉の前には、鷺《さぎ》と、その鳥に捕まれた九十八魅がいる。よって小鬼達は、九十八魅を追う形になっていた。

すると助けが来たと思ったのか、九十八魅が偉そうな声を出し、鳴家達が顔を顰《しか》めた。

「小鬼のあほー、根性無しー、早く助けろっ」

「ぎゅんべー、九十八魅、うるさい。青い玉、どうして鷺の近くにいるのかな」

悠々と飛んでゆく鷺の後ろを、まるで鳥を追っているかのように青い玉が跳ねてゆく。またまた必死に玉を追い始めた鳴家達は、大きく首を傾《かし》げた。

「青い玉、鳥が好き？」

とにかく鳴家達は、ひたすら玉を追いかけてゆく。しかし、せっせせっせと西へ向かったのに、また東へ戻るので、何とも草臥《くたび》れる感じがしていた。

「どうせなら、きゅい、長崎屋の方へ戻りたい。それで早くご飯、食べるの」

先頭の鳴家がこう言うと、他の鳴家達も走りながら頷《うなず》く。すると一番後ろにいた一匹が、長屋の二階に置かれていた棒を拾って、鷺の方へと投げる。勿論《もちろん》鳥に当たりなどしなかったが、物が飛んできたのを嫌がってか、鳥は少し飛ぶ方角を変えた。

「うまい、きゅぺ、もうちょっと右」

もう一匹の鳴家が、今度は小石を投げると、鳥は更に右へと行く。これはいいということになり、鳴家達は走りながら手にしたものを、どんどん空へと放り投げ始めた。木の枝も、屋根板を押さえる石も、風で飛んで屋根に引っかかっていた手ぬぐいすら、気前よく投げ上げられてゆく。

それらは空の鷺には届かず、ぱらぱらと周りに散っていった。しかし鷺は、何かが己の方へと飛んで来るのが気になったのか、じきに近くにあった木の高い枝へ、静かに舞い降りたのだ。

「お、降りたーっ。こら小鬼、ほら来い。褒めてやるから助けろっ」

途端、大きな魔の声が辺りに響いたが、鳴家達はそれどころでは無かった。どういう訳だか青い玉も、鷺のいる木へと跳ねていったからだ。枝に引っかかり止まる。

「きゅいっ、今だ、捕まえる！」

やっと巡ってきた好機を、逃がしてはならない。鳴家達は死にものぐるいで木に登った。そして、枝を大きくしならせると、玉へ飛びついたのだ。

「ぎゅんわーっ」

「おお小鬼、こっちだっ」

飛び上がった鳴家を見た九十八魅は、己を助けにきたものと考えたようだ。それで、必死に協力しようとしたらしい。少なくともそのつもりで、魔は何か出来る事を探し、己を捕まえている鳥から逃れようと、その羽をむしった。

途端。

「くぇーっ」

鷺が大きく悲鳴を上げ、一気に舞い上がると、「ひゃーっ」という情けのない声と共に、魔は鳥の足にぶら下がった。青い玉は鳥にぶつかって逸《そ》れ、空を飛んできた鳴家は、九十八魅にしがみついた。落ちそうになった魔と小鬼が、必死に鳥の足を握ったものだから、鷺は大きく傾いた。

その時。一旦長屋の屋根に落ちた玉が、また大きく高く跳ね、鷺に思い切りぶつかってしまったのだ。

「ひょえええええっ」

誰が何を言ったのか、誰にも分からない。とにかく鷺と鳴家と魔と玉は一塊となって、東へとすっ飛んでいった。

不思議な事に、鳴家達はしばらく落ちもせず、ただ東へと飛んでいった。そして懐《なつ》かしい長崎屋の大きな屋根が見えた途端、鳥と鳴家達の塊は、突然落ちていったのだ。

「きゅぎゃーーっ」

「わひゃぁーーっ」

悲鳴の塊となって、鳴家達はいつもの長崎屋に戻ってきた。そして気がつくと、庭で、何か柔らかいものの上に載っていた。

「きゅい？　誰、これ」

九十八魅と鷺が、お尻《しり》の下で伸びているのはいいとして、細い人と若い人も寝ているのは、どうしてであろうか。

しかし、気がつくと青い玉がすぐ目の前にあったので、鳴家は喜んで摑んだ。そしてそれを、何故《なぜ》だか突然目の前に現れた若だんなに、決死の思いで差し出したのだ。

「きゅんげーっ、鳴家、玉を取り戻した！」

すると若だんなは、ちゃんと鳴家の頭を撫《な》でてくれた。それから、これは何かなと言って、青い玉を仁吉に見せたのだ。

答えは、思いがけないものであった。

「おや、それは……玉のように見えますが、違いますね。魔の一人でしょう」

「魔の一人？」

万物を知る白沢、仁吉の言葉に驚いたのは、逢魔時《おうまがとき》の魔達であった。百魅と三十魅は立ち上がり、一魅と五十魅、それに九十八魅まで加わって、若だんなが手にする青い玉に見入る。

ここで若だんなが笑った。

「ああ仁吉、分かった。これは玉じゃない。生まれる前の玉子なんだね」

鶏でも、時々上手《うま》く殻を破れないひよこがいるが、そういう事なのかなと若だんなが頷く。そして縁側の角に、こつんと青い玉を打ち付けると、すぐにぴしりとひびが入った。

「あ、そんなことして……」

九十八魅が焦《あせ》った声を出したが、玉子がぽろりと欠けると、中から鼻面《はなづら》が出てくる。直《す》ぐに髭《ひげ》が現れ鱗《うろこ》が見え、するりと細い身が現れると、小さな龍《りゅう》が身軽に長崎屋の庭を飛んだ。一魅が驚きの声を上げ、落ちた殻を拾う。

「おお、これは姿の見えなかった、九十九魅ではないか。こんな所にいたのか」

てっきり百魅が生まれる前に、誕生していたと思ったが、玉子から孵《かえ》る事が出来ていなかったようだ。

「あげく御馳走《ごちそう》と間違えられて、百魅に食べられそうになったようだな」

三十魅がそう言うと、百魅が頭を掻《か》いている。雲から飛び出して逃げた九十九魅は、一緒に落ちた筈《はず》の九十八魅を頼り、探し、跳ね回っていたらしい。

「やれやれ……」

魔達が大きく溜息をついたその時、辺りには夕闇が迫ってきていた。夕日を受けた雲の輝きは既に僅《わず》かになっていたから、皆、大急ぎで逢魔時の内に帰る事になる。

「やれ迷惑をかけたな。若だんな、破れた空は、この玉子の殻を使って、こちらが直しておこう」

一魅や五十魅の姿は、その声と共に、茜色の西日の中へ消えた。

「仕方ない、これで帰る故《ゆえ》、今回は小鬼達を許してやろう」

九十八魅は生まれ出たばかりの弟分の背に乗り、あっと言う間に空へと登ってゆく。

「ぎゅんいー、威張りんぼうっ」

鳴家達はその背を見つつ、ぺろんと舌を出している。

「二度と、仲間を食べようとしてはならんぞ」

「だからそいつは、ただの間違いだってば!」

三十魅と百魅は、帰る時にすら大いに言い争いつつ、しかし揃って最後に消えていった。また来るから、大仰な別れは言わぬと言い置いたので、兄や達が溜息をつくことになる。

「来なくていいですから」

「さようなら」

若だんなが手を振ったとき、もう誰も庭にはいなかった。とにかく不意の客達が帰ると、それを待っていたかのように、長崎屋の庭へ、夜の闇が訪れてきたのだ。

翌日のこと。

「ぎゅい、玉ぁ」

鳴家達が玉にこだわったので、長崎屋の離れでは、皆でゆで玉子を食べることになった。

いつもは玉子の殻に、己の顔を描く妖《あやかし》達だが、この日は魔の顔を描いた者が多かった。何匹かは九十八魅の顔を描き、遠慮無く殻を割って食べている。

鳴家達は描きながら、昨日出会ったという甘い黒海老《くろえび》大福様のことを、面白おかしく話した。

「甘い黒海老大福様？」

だがそんな御仁は、仁吉も知らないというので、若だんなは目を見張っている。昨日の驚くような魔兄弟なら、知っているかなと、若だんなは首を傾げた。

「しかし、私にはまだ、兄弟喧嘩《げんか》というものが、よく分からないや」

たった一人の兄松之助も、今は分家して余所《よそ》で暮らしている。だから派手な兄弟喧嘩を見はしたが、一緒にいる三十魅と百魅が、ちょっぴり羨《うらや》ましかった。

すると横から、笑うような兄や達の言葉が聞こえてくる。

「まあ、昨日の御仁達は、かなり特別です。世の兄弟喧嘩が、あのようなものだと思ってはいけません」

喧嘩のあげく、天と地を駆け回って、空を引っぱがし、夜の訪れを押し止《とど》める兄弟など、まずいない。

「若だんな、あんな兄弟喧嘩を真似《まね》るんじゃありませんよ」

「あれま、そうなの?」

若だんなは僅かに戸惑ってから、つるりとした真っ白な玉子を食べる。離れで玉子をむいていた妖らも、塩をちょっぴり振って、揃《そろ》って嬉《うれ》しげにかぶりついた。

あましょう

序　お酒大好き妖《あやかし》の、味噌《みそ》漬け豆腐

長崎屋《ながさきや》離れの飲んべえ妖達が、こよなく好む品。

・用意するもの
木綿《もめん》豆腐　一丁。
田舎味噌　大さじ山盛り十杯。
味醂《みりん》、酒　大さじ一杯ずつ。
きれいに洗った晒《さら》し（きっちんぺーぱーでも大丈夫）。

・用心するもの

豆腐は酒のつまみだと心得ている妖。

・作り方
木綿豆腐を、晒しでくるみ、一晩水切りする。

その間に、金次《きんじ》の酒の肴《さかな》にならないよう、気を付けること。


味噌の用意をする。

長崎屋では、味噌漬けをしょっちゅう作るので、たっぷりの味噌に味醂、酒を大さじ一杯ずつ混ぜ込んだものが、大振りの椀《わん》に用意してある。

水切りした豆腐を新しい晒しにくるみ、この味噌の中に漬け込む。

(半分より少なめの味噌を下に敷き、晒しにくるんだ豆腐を、その上に置く。それから豆腐の周りを、残りの味噌で包む)

一日置く。豆腐を取り出し、薄く切って皿に盛る。


(注意)

仁吉《にきち》と佐《さ》助《すけ》は、晒しに包んだ玉子の黄身を、味噌で漬けたものも好き。

若だんなの友達栄吉《えいきち》は、長崎屋へ見舞いに来た時、この豆腐をご飯に載せ一緒によく食べる。

一方妖達は、この豆腐をつまみに酒を飲むのを、楽しみにしている。つまり味噌漬け豆腐があると宴会になる。皆、妖達と一緒に楽しもう。

1

江戸は通町《とおりちょう》、長崎屋の若だんな一太郎《いちたろう》は、外出をしたとき突然雨に降られたことが、ほとんどなかった。

若だんなは何しろ体が弱いため、ちょっとでも雨が降りそうな日は、二人の兄《にい》やに部屋から出るのを止められるからだ。つまり、外に出かけないから、濡《ぬ》れないのだ。

若だんなが外出できない日は、他にも数多《あまた》あった。

少し熱がある時。

前日まで寝込んでいた日。

町で悪い風邪が流行《はや》っている時。

大層暑いので、体に障《さわ》る夏場。

寒い風が吹く真冬。

兄や達は、あれこれ理由をあげては、離れに居るよう言うのだ。よって病《やまい》ではなく、寝込んでおらず、風邪も流行らず、暑くも寒くもない今日、若だんなは空を睨《にら》んでいた。

「仁吉、佐助、大丈夫、降らないってば。乳母《ばあ》やのおくまだって、今日は一日雨にはならないって、言ってたよ」

だからだから、外出をしてもいいよねと、若だんなは一所懸命頼んでいるのだ。しかし。

「若だんな、朝方までは私もそう思っていたんですが」

でもほら、急に妙な雲が出てきましたよと言い、仁吉が離れの縁側から天を見上げている。

「誰か、雨性《あましょう》な人、つまりその人が出かけると雨になる御仁《ごじん》が、外へ出ましたかねえ」

横で佐助も腕を組み、渋い表情を浮かべている。出かけてもし雨に降られたら、若だんなは熱を出し、寝込み、夕餉《ゆうげ》どころか三日くらい食事を取れなくなること、請《う》け合いであった。だから二人はなかなか、うんと言ってはくれない。

だが大妖《たいよう》である祖母おぎんの縁で、離れに沢山巣くっている妖達は、皆、若だんなの味方をしてくれた。鳴家《やなり》達など、既に外へゆくつもりでいたらしく、兄や達へ文句を言い始めた。

「きゅい、大丈夫、降らない」

「今日は大福《だいふく》を買いに行く日だから、きゅわっ、雨にはならないの」

「そうそう、何しろ菓子がかかってるからな。おい鳴家達、あたしは鶉焼《うずらやき》が食べたいから、購《あがな》ってきておくれ」

「屛風《びょうぶ》のぞきさん、金団《きんとん》と山椒餅《さんしょうもち》と椿《つばき》餅も欲しいと、みんなが言ってますよ」

離れの奥から、妖、鈴彦姫《すずひこひめ》の声が聞こえると、その後から小鬼達が、団子、団子と歌うように声を揃《そろ》えている。

要するに長崎屋の妖達は、今日は若だんなが親友栄吉の所へゆくので、たっぷりと甘味を食べられると期待しているのだ。栄吉の修業先は、菓子屋安野屋《やすのや》であった。もし雨になって、兄や達が外へ出ないと決めたら、皆、雨雲を許さないに違いない。

「ねえ、久しぶりに栄吉と話したいんだ」

若だんなは安野屋の上客だから、しばし栄吉と話をするくらい、大目に見てもらえるのだ。風邪と胃痛と熱を乗り越えた若だんなは、友と会うのを、それは楽しみにしていた。

「そうだ、駕籠《かご》に乗って行くよ。それならいいだろう？」

いつもは安野屋までだと、若だんなは歩きたがる。外出をするなら、他の店もついでに覗《のぞ》いてみたいからだ。だが今日はとにかく、出かける事が優先であった。

「おお、ならば急な雨でも、濡れませんね」

仁吉がやっと頷《うなず》いたので、鳴家達は上機嫌で若だんなの袖内《そでうち》に入り込んだ。

「ああ、良かった」

若だんなは駕籠に乗る前、栄吉への土産として、台所で味噌漬け豆腐をたっぷり、竹皮に包んでもらった。友の好物だし、夕餉のお菜が一品増えれば、安野屋の奉公人《ほうこうにん》達もきっと喜ぶ。栄吉が少しばかり長く若だんなと話し込んでも、怒らないに違いないと思ったのだ。

ところが。

いざ安野屋へ着いてみると、当の栄吉は、珍しくも大層忙しかった。若い二人の客と話をしていて、直《す》ぐには若だんなの所へ、来られそうもなかったのだ。

それで、他の手代《てだい》が菓子を見せてくれたのだが、安野屋はこの日売れ行きが大層良かったらしく、鶉焼や金団、薯蕷饅頭《じょうよまんじゅう》などがきれいに無くなっていた。「きゅー……」

がっかりしたのか、小鬼達が小声を出したので、若だんなが慌《あわ》てて袖を押さえる。

そして若だんなは、その妙な素振りを取り繕うように、土産だと言い、味噌漬け豆腐を安野屋の手代に渡した。

「これは、ありがとうございます。若だんな、みんな喜びます」

手代が満面の笑みを浮かべると、栄吉も顔をさっとこちらに向け、にこりとする。

「それにしても今日は、忙しいんですね」

「それがその、浜村屋《はまむらや》さんが、急に沢山の菓子がご入り用になったとかで」

栄吉が応対している二人の内、直ぐ前にいる方の御仁が、その浜村屋の長男、新六《しんろく》らしい。

「浜村屋さんは、うちの古くからのお客様でして。いつもはご家族が食べられる分を、幾つか買われるのですが」

今日は何か特別な事でもあるのだろうかと、手代は首を傾《かし》げている。栄吉が木の盆に載せてある薯蕷饅頭を全《すべ》て、せっせと箱に詰めているのを見て、若だんなは少しばかり目を見張った。

(それにしても、本当に沢山買っていること)

突然の買い物だというから、あらかじめ分かっている、法事や連《れん》などの為《ため》ではないだろう。

（はて、誰があんなに食べるのかしら）

まさか浜村屋にも妖がいるのかなと、若だんなが菓子を見つめていると、じきに店奥から、まだ湯気の立っている作りたての団子が、山と運ばれてくる。笑い顔で皿を抱えていたのは顔馴染《なじ》みの店主、安野屋であった。

「長崎屋の若だんな、わざわざ来て下さったのに、品数が少なくて済みません」

お詫《わ》びに一つ味見をといって、安野屋は四つ連なった団子を一本、小皿に取り分け勧めてくれる。若だんなは一つ口にするとにこりと笑い、団子、団子と連呼していた鳴家達の為、大皿に載った分をそっくり買うことにした。

横では仁吉と佐助も、明日のお八つや、女中頭《じょちゅうがしら》おくまに頼まれた分を、店にある菓子の内からせっせと選んでいる。金子《きんす》に困らず、菓子好きの妖達を大勢抱えた長崎屋の買い物は、いつもながら豪快であった。

「これは、まいど」

嬉《うれ》しげに笑った主人が、手ずから菓子を包み始める側《そば》で、若だんなは貰《もら》った団子を串《くし》から外す。そして袖の中から、両の手を一所懸命差し出している鳴家達に、こっそり渡したのだ。

「若だんな、袖の内が汚れますよ」

佐助は顔を顰《しか》めたが、余所《よそ》の店内だから遠慮があり、大きな声を出す訳にもいかない様子だ。「えへ」若だんなが小さく舌を出した、その時であった。

突然大声が、安野屋に響いた。

「何だい、五一《ごいち》。どうしておれの買い物に、横からあれこれ言うのさ。おれは友である お前さんの為に、この菓子を買ってるんだよ」

親友が、贈り物を選んでいるのだ。それに文句を言うとは、おかしいではないかと、浜村屋の新六が不機嫌そうに声を荒げている。

するとゝやんわりとした物言いが、その大声を止めた。

「そいつは分かってるけどねえ。だけど新六、そんなに持ちきれない程買って、どうするんだ」

すると新六は、菓子は安野屋が店まで届けてくれるから大丈夫だと、つっけんどんに答えた。新六と同年配に見える五一を見て、若だんなはすっと目を見開く。

「それは助かるな。だが新六、そんなに沢山の菓子、おれは食べきれんぞ」

安野屋の菓子は確かに美味《おい》しいが、それにしても今日新六が求めた量は、尋常ではなかった。若だんなが栄吉の脇《わき》を見ると、大きな箱が、既に六つばかりも積まれていたのだ。

　すると新六は半眼で、五一を睨んだ。

「いいや、お前さんが食べろよ。何しろ急に、旅に出るって言うんだ。菓子でも食べて、力を付けなきゃなるまいさ」

「あー、新六はやっぱり、さっき言った事を怒ってるのか」

　五一が溜息《ためいき》をつくと、新六は友から顔を背《そむ》ける。そして、正面で菓子を詰めていた栄吉に、愚痴《ぐち》を言い始めたのだ。

「おい栄吉さん、聞いておくれな。この五一、おれの親友殿ときたら、房州《ぼうしゅう》へ一年近くも行ってたんだ。あれこれ約束を、うっちゃってさ」

　そうして今日、急に江戸へ帰ってきたと思ったら、また直ぐ旅に出ると言ったらしい。つまり新六は、付き合いの悪い友に、思い切り腹を立てている様子であった。

「そりゃおれは、五一の友達だよ。幼なじみだ。親友だ。赤子《あかご》の時から毎日側に居た、兄弟以上の間柄さ」

　しかし、だ。新六の声が、ぐっと低くなる。

「友達ってもんは、親や子とは違う。お互いに話すらせず、会いもしなかったら、縁が薄まってゆくもんさ。気がついたら、ただの知り合いに化けちまうかもな」

畜生、どれだけ会わないでいても顔を覚えていられるか、五一は自分を試しているんだろうかと、新六は吐き出す。すると五一は、やんわり、ゆったり、己《おのれ》から目を逸《そ》らしている友へ声を掛けた。

「新六、少々離れていたって、見飽きるほど見てきた友達の顔を、忘れる訳もあるまいさ。おい、いい加減、機嫌を直せ」

「い、や、だ！」

また、一段と大きな声が店に響くと、他の客がさっと顔を上げ、新六達へ目を向ける。袖の内で団子を食べていた鳴家達など、びくりと身を震わせていた。

するとこの時、安野屋の店主がずいと立ち上がった。そして渋い表情を浮かべつつ、栄吉の横へ行く。

「栄吉、あとどれくらいで、浜村屋さんの菓子をご用意出来るかね？」

「あ、はい。旦那《だんな》様、これで全部揃いました」

「そうかい。ならば栄吉、これから直ぐにその菓子を、浜村屋さんまで届けておくれ」

「え？　は、はい」

要するに、若者達の言い合いがうるさいので、安野屋は二人の客を早々に、店から出すつもりらしい。栄吉が寸《すん》の間戸《まと》惑《まど》ったのは、若だんながいつものように話をしようと、店先で待っていたからだろう。

しかし店主に言いつけられた用を、断る訳にはいかない。栄吉が急ぎ菓子箱を風呂《ふろ》敷《しき》に包み始めると、新六は五一を睨んだ後、安野屋へさっさと支払いを始めた。一番慌てたのは、若だんなだった。

(栄吉は……使いに出るの？　じゃ、今日は全く話せないんだろうか)

若だんなが呆然《ぼうぜん》としている間に、新六と五一は店から出てゆく。栄吉は困った顔で若だんなを見たものの、何が出来る訳でなく、そのまま二人の後に続いて暖簾《のれん》をくぐった。気がつけば若だんなは、安野屋に取り残されてしまったのだ。

(……何でこうなるのかしら)

がっかりして、つまらなくて、小さな溜息が出てくる。すると先程新六が言った言葉が、若だんなの頭の中に湧《わ》いてきたのだ。

(話すらしなくて、会いもしなかったら、縁が薄まってゆく。気がついたら、ただの知り合いに化けちまうって？)

若だんなは顔を顰めた。

(だとしたら私と栄吉は、少しずつ危うくなってるのかな。その内、親友と呼べなく

なったりするんだろうか)

何しろ若だんなは、寝込んでばかりの身なのだ。昔はそれでも栄吉が、長崎屋の隣に住んでいたから、こまめに離れで会って話せた。

ところが栄吉が修業に出たら、そういう気軽さは、見事に吹っ飛んでしまったのだ。若だんなの方から会いに行くようになった途端、顔を見ない日々がぐっと増えていった。

(寂しければ、己から会いに行くべきなんだ)

若だんなにもそれくらい、ようく分かっていた。分かっていたけれど、でも若だんなは若だんな、急に丈夫になれる訳もないのだ。

(今日は本当に久しぶりだった。だから、あれもこれも、栄吉と話すつもりだったのに)

目の前に置かれた団子の包みを、若だんなはじっと見つめる。一応菓子は買ったし、直ぐに届けて貰えるだろうし、つまりつまり……もう用は済んでしまったのだ。安野屋の店先で、ただぼんやり栄吉を待っていることなど出来ない。

長崎屋は馴染み故《ゆえ》、菓子の払いは月の終わりにまとめてする事になっており、仁吉が帳面を見せて貰い頷いていた。すると佐助が腰を上げ、駕籠を拾いにゆくと言って、先に店から出てゆく。

(私は栄吉と、話したいんじゃないのか)

若だんなは一寸《ちょっと》、着物の膝《ひざ》を握りしめた。そして、ひょいと立ち上がると、佐助の背に向け言ったのだ。

「帰りは、やっぱり歩いてゆくよ」

そう言うと、若だんなはさっさと店から出た。そして、栄吉達の後を追い歩き出した。

2

沢山の菓子箱を包んだ、大きな風呂敷包みを抱えていたから、栄吉はちょいと歩きにくそうであった。それで若だんなが、横から手を差し出す。

「少し持つよ」

しかし友は首を横に振った。そして、後ろから付いてくる兄や二人へ、さっと視線を向ける。

「一太郎、兄やさん達が凄《すご》く怖い目つきをして、こっちを見てるよ。あのさ、駕籠に乗らなくていいのかい？」

「乗ったら、直ぐ帰ることになって、栄吉と話が出来ないじゃないか」

「そうだけど……私は仕事中だし」

「だから手を貸すってば。菓子折くらい、私でも持てるよ」

「駄目。後ろから兄やさん達が飛んでくるから」

若だんなは荷物持ちではないと言われ、二人に菓子を放り投げられては敵《かな》わない。

栄吉がそういうと、若だんなは頬を膨らませた。

「そりゃ、栄吉が忙しいのは分かってる。でも、私は菓子屋が終わる暮れ六つ時まで、安野屋で待つわけにはいかないんだもの」

若だんなが栄吉と話そうと思ったら、今、こうして歩きながらするしかないではないか。

幸いなことに今は栄吉だけでなく、見ず知らずの二人、新六と五一も側に居るので、兄や達は並の奉公人らしからぬことを出来ないでいる。

(栄吉だけしかいなかったら、佐助は私を、小脇に抱えかねなかったな)

若だんなが眉尻《まゆじり》を下げたその時、二人の話が聞こえたのか、思わぬ方から声がかかった。

「おや、長崎屋の若だんなさんは、安野屋の栄吉さんと友達なのか」

話を向けてきたのは新六で、相変わらずちょいと不機嫌そうな表情だ。新六はここで、友というものについて、若だんな達にあれこれ語り始めた。

「二人が友達なら、分かるだろ？　友に不義理など、すべきじゃないよな」

新六は以前五一とよく、盛り場などへ行ったのだそうだ。吉原《よしわら》だって、一緒に冷やかした。なのに最近五一ときたら、己の都合ばかり優先して困ると新六はこぼす。

「おれという友のことを、五一は一年近くも忘れてたんだ」

「おい新六、栄吉さんと長崎屋の人に……ああ、一太郎さんというのか、絡《から》むんじゃないよ」

「だからな、お二人さん。友は大切にせにゃ」

「勿論《もちろん》、一太郎は俺の大事な友達ですよ」

栄吉が真面目《まじめ》に返答をすると、新六は口の端をちょいと引き上げた。

「だが最近は忙しくて、そっちの若だんなと、なかなかゆっくり話す事が出来ない。そうなんだろう？」

「その、まあ」

栄吉が、少し戸惑うように返答をする。

「やれ新六、友達づきあいへの文句は、おれに言えばいいものを」

今日の新六はやっぱり少し変だと、五一は口元を歪《ゆが》めつつ言う。そしてゆっくりと歩きながら、息を吐いた。

「いや、今日だけじゃない。新六、お前さんの様子が最近変だと、そんな噂《うわさ》を聞いたんだ。人のことばかり気に掛けているが、知り合い達は今、新六のことを心配してるぞ」

それ故五一は、友がどうしているか知りたくなったのだ。どうしても。

「だから房州から直接旅立たず、一度江戸へ戻ったのさ」

「おいおい、おかしいのは五一じゃなく、おれだって言いたいのか」

「かもな」

新六が目を三角にすると、五一はべろんと舌を出した。友は更にいきり立ち、五一がその喧嘩腰《けんかごし》を受け、身構える。

「ありゃあ」

今にも殴り合いになりそうなのを見て、若だんなは困って立ちすくんだ。兄や達が若だんなの前に立つ。

だが。その時道の向かいにあった一軒の店を見て、五一は不意に力を抜いたのだ。

そしてにっと笑みを浮かべる。

「おや、ありゃ以前行ったことのある、小間物《こまもの》屋じゃないか。こいつは丁度良かった」

五一はそういうと連れに断りも入れず、道を渡ってゆく。そしてさっさと、小間物屋の暖簾をくぐってしまったのだ。

「おい、話の途中で、いきなりな奴《やつ》だな。五一！　ああ畜生、聞こえてないか」

新六は声に怒りを含ませたが、それでも五一を置き去りにし、一人で帰宅する気は無いらしい。後を追って店に入ったから、栄吉も、若だんなや兄や達も、そのまま小間物屋へ行く事になった。

すると五一は、土間から一段高くなった店表《たなおもて》に座り込み、応対に出て来た手代に、櫛《くし》、簪《かんざし》を見せて貰《もら》いたいと話していた。栄吉は店の隅に行くと菓子箱の山を畳の上へ置き、側《そば》に座った若だんなと目を見合わせる。

「五一さん、櫛の歯でも欠けたんで、買いに来たのかな」

だが若だんなは、小さく首を振った。

「栄吉、櫛はともかく簪なんか、五一さんは使わないと思うけど」

「そ、そうか」

五一が華やいだ螺鈿《らでん》付きの櫛を手に取ると、脇《わき》に立っていた新六が、一段と不機嫌そうな声を出した。

「五一、男のくせに、派手な櫛を買ってどうするんだ」

「土産を忘れてたから」

言われた途端、新六が友に顔を近づける。

「おい、まさかとは思うが、そいつを妹に渡してくれなんて、言い出すんじゃないだろうな。おれはごめんだぞ、そんなこと」

「随分と勘の良いことだな、新六。土産くらい、美津《みつ》さんに渡しても構わないだろ？」

「構う！　川田屋《かわだや》にも知らせた筈《はず》だ。美津は、もうすぐ嫁にゆくんだぞ」

新六が、五一を睨《にら》む。店の内に、怒りが飛び散るかのようであった。

「あいつは元々、お前の嫁になる約束だったんだ。おれも美津も、ずっとそのつもりだった」

なのに、だ。

「お前が美津を袖《そで》にしたんじゃないか！　房州へ行くとき。美津はついて行くと言った。だが、断っただろうが」

美津は気落ちしていたが、その後やっと、次の縁組みが見つかったところなのだ。

「今更、土産を渡してどうする」

新六はそう言うと、口をへの字にする。

「そう、だったな」

五一の声が小さくなり、若だんなと栄吉は、驚きに包まれ、目と目を見合わせた。

まさか二人の喧嘩に、その妹御が関わってくるとは、考えの他だったのだ。

「一太郎、もしかしたら美津さんという許嫁《いいなずけ》と距離を取る為《ため》に、五一さんは、房州へ逃げ出したのかな？」

栄吉の小声を聞き、一旦《いったん》は納得しそうになったが……しかし若だんなは首を横に振る。

「美津さんとの縁談から逃れたいんなら、旅から帰ってきて直《す》ぐ、こうして土産を買うわけがないよ」

「そ、そうか」

それに新六は今日、安野屋で沢山の菓子を買っている。すぐ次の旅へ出る五一の為に、買ったと言っていた。

「新六さんは、五一さんのこと怒っているみたいだけど、二人は縁切りした訳じゃない。つまり美津さんとの破談には、ちゃんとした理由があったんじゃないかな」

するとこの時五一は、新六に断られたにも拘《かか》わらず、さっきの高そうな櫛を選び、手代に小箱へ入れさせた。そして受け取ると、とんでもない一言を付け足したのだ。

「そうだ新六、おれは紙入れを家に忘れてきた。代金を払っておいてくれ」

「はあ？ 何でおれが」

新六が、額に青筋を浮かべる。

だが五一は気にする様子もなく、櫛を手にしたまま、一人さっさと店から出てしまったのだ。残された者達は呆然《ぼうぜん》として、顔を見合わせる事になった。

「あの、お代金はどなたが……」

小間物屋の手代が、強《こわ》ばった表情を三人に向けてくる。

「まさかその、代金が払えないなどと……」

するとここで仁吉が、溜息《ためいき》をつきつつ、若だんなの後ろから声を掛けてきた。

「あの、よろしければ私の紙入れから、支払っておきますが」

櫛代のことで岡《おか》っ引《ぴ》きでも呼ばれ、あれこれ長い間留め置かれたら、若だんなが疲れるかもしれない。

「そんなことになったら、大変ですから」

するよ新六が畳の端に座り込み、大きく溜息をついた。

「いや、とんでもない。ああ、私が払うよ。今なら払えるから」

「今なら？」

若だんなが首を傾《かし》げている間に、新六は小間物屋の手代に言われるまま、一両二分《ぶ》もの金を出したのだ。

それから怒った表情を浮かべ、新六は店の外へ五一を追って出た。栄吉と若だんな達が続くと、五一は飴《あめ》売《う》りの口上を聞きつつ、暢気《のんき》に大通りの道ばたで友を待っていたのだ。

「悪いな、新六。だが後で、ちゃんと金子《きんす》は返すから。いや、たっぷり利息も付けさせてもらうよ」

新六が、寸の間嫌そうな顔をしたのに、ゆっくり歩き出した五一は黙らない。そして、どうせこの先旅に出れば使わないからと、趣味で集めた文房《ぶんぼう》四《し》宝《ほう》、つまり墨《すみ》や硯《すずり》などの文具を、全《すべ》て新六に譲ると言い出した。

「家の者にも、言ってあるから」

祖父から譲られた物もあり、結構良い品が揃《そろ》っているらしい。後で実家の川田屋へ取りに来いと、五一が口にすると、新六は眉《み》間《けん》にくっきり皺《しわ》を寄せた。

「硯、墨集めは、お前さんの趣味だ。五一、おれはそんなもの欲しくもないぞ」

「要らなきゃ、この櫛代として売り払えばいい」

五一はここで、どうしても美津への土産は受け取らぬのかと、新六に尋ねる。だが友がそっぽを向くと、五一は櫛の入った箱を、寸の間切なそうに見つめた。

だが、じきにくいと口の端を上げ、上等な櫛がもったいないと、五一は言い始めた。

「じゃあ、他の人に貰って貰おうかな」

櫛の箱を軽く振っている。

「他の人って……五一には誰か他に、気になるおなごでもいるのか？」

新六に聞かれると、五一は道ばたでくるりと回るようにして振り向き、にっと友へ笑いかける。

「いいや、おれにはいないよ。いるのは新六、お前だろうが」

「え……」

僅《わず》かに狼狽《うろた》えた友を見てから、五一は後から来た若だんな達へ、振り売りを避けながらひょいひょいと近づく。そして、もの凄く重大な話でも告げるかのように、こう言ったのだ。

「親友の新六は、最近嫁さんを貰うと決まったそうなんだ。なのにまだ私には、その事を打ち明けてもくれてないんだよ」

新六はさっきから、五一のことを薄情者のように言っている。だが、縁組みのことすら話さない友の方が、余程冷たい奴ではないか。

五一の言葉を聞いた新六は、地面に目を落とした。

「知ってたのか……相手の名も？」

そりゃ、親が文《ふみ》に詳しく書いてきたからと、五一は新六の目を見ながら言う。

「相手は、両替屋松木屋《まつきや》の娘、おれんさん。そうだな」

その名を言われると、新六は少しばかり強ばった顔で頷《うなず》く。五一は、櫛入りの小箱を振りつつ、またひょいと人通りの中へ足を進めた。

3

若だんなは、またほてほて歩いて、五一達について行く。すると心配が積み重なって、夏雲のように分厚くなってきたようで、兄や達は、若だんなを休ませようとせっつき始めた。

「若だんな、そろそろ帰りましょう。このまま通りを歩いていると、熱が出ますよ」

仁吉は若だんなの袖を引くと、今は危なき時なのだと、小声で言ってくる。若だんなが倒れたら、江戸中の妖《あやかし》達が心配するのだそうだ。小鬼達は通町に、押し寄せてくるに違いない。狐《きつね》らも狸《たぬき》らも来る。すると、相性の悪い同士で合戦が始まるだろう。江戸は戦国時代へ突入してしまうかもしれぬと、仁吉は言い出した。

その横から佐助は、若だんなに菓子の事を思い出させる。

「じきに長崎屋へ菓子が届きます。先に帰らないと、全部食べられてしまいますよ」

佐助のその言葉を耳に挟んだらしく、ここで栄吉が顔を向けた。

「あのぉ、長崎屋に誰か、大食いの知り合いでも来てるんですか？」

「いやその、時々大勢のお客さんが、おいでになるから」

「きゅい？」

若だんなは苦笑を浮かべた後、ちょいと袖内の鳴家《やなり》達を撫《な》でてから、先をゆく五一と新六の背へ目をやる。

「まだ、帰れないよねえ。何だか気になる事が、多すぎて」

心にかかっていることを、通りを行き交う人達に紛れそうな声で、若だんなは並べ上げる。

「まずは、浜村屋の新六さんが、安野屋であれほど沢山菓子を買ったのは、何故《なぜ》なのか」

次に、一体先をゆく二人は、喧嘩《けんか》しているのか、してないのか。

五一はどうして、新六の妹美津との縁談を、破談にしたのか。

美津へ渡す事を断られたのに、何故高価な櫛を買ったのか。

新六は何故、嫁取り話を五一に黙っていたのか。

他にも、五一が櫛代を、金子ではなく文房四宝で払おうとした訳や、そもそも五一が房州に行った理由、そして直ぐ別の旅に出る訳も、分からないと言えばそうであった。

「何か、説明出来ることとあるかい?」

横の二人に問うてみたが、兄や達は興味もなさげに、分かりませんと短く答えた。二人とも、若だんなさえ心地よく過ごせていれば、富士の山は爆発せず、この世は無事安泰であると心得ている。いつものことであった。

「若だんな、駕籠屋《かご》がいますよ。いや、休みましょう。ほら、そこの茶屋で一休みすると楽ですよ」

段々二人の声が大きくなってきたので、若だんなは栄吉に、浜村屋まではまだ遠いのかと尋ねてみる。

「もう、程なくだよ。じきに見えてくると……」

だが友がそう言った途端、先をゆく新六が、大きな声を上げた。気がつくと五一が、突然姿を消していたのだ。新六は辺りを探し出し、若だんな達も足を止める。

すると兄や達は、小銭を道ばたの茶屋へ置き、露店の床机《しょうぎ》へ、素早く若だんなを座らせた。

「とにかく休みましょう」

確かに今日は大分歩いたから、あられ湯をもらうと、ほっと息がこぼれる。栄吉も重い菓子箱を置くと肩を動かし、慌《あわ》ててあちこち探している新六の背を見つめた。

「浜村屋さんは、この道の先にあるのに。五一さん、急にどこへ消えたのかしら」

「さっきの櫛《くし》を、誰かに渡しにいったかな」

若だんながそう言ってみると、仁吉が眉《まゆ》を顰《ひそ》める。

「そうかもしれませんね。ですが若だんな、連れに何も言わずいなくなるとは、突然な話です」

佐助は栄吉に、五一の家川田屋は近いのかと問う。新六の幼なじみなのだから、確かに川田屋の場所は、浜村屋と近い。だが店は浜村屋を通り越した、大通りの先にあるという。ここでいなくなる理由は、見あたらなかった。

「おや。じゃあ五一さん、先に帰った訳じゃないんだ」

栄吉は桜湯を選び、先にもらうと、ぺこりと佐助に頭を下げる。そして床机の上から、大勢が行き交う大通りへ首を巡らせた。

「この辺りからどこかへ向かうとしたら……ひょっとして五一さん、松木屋へ行ったのかな」

「松木屋？」

「さっき話が出た、新六さんの許嫁《いいなずけ》、おれんさんの家。両替商の松木屋さんです」

少し前のこと、一度菓子を届けたことがあるが、確か直ぐ近くにある横道の先だったと、栄吉は覚えている。近いからか、松木屋も安野屋の古くからの馴染《なじ》みで、甘味好きの家人達は、入れ替わり店に現れては菓子を買ってゆくという。

「へえ……」

兄や達は、未《ま》だ友の姿を探している新六を見つつ、目を細めた。

「五一さんが、新六さんの許嫁に用があるとしたら……なんだろうね」

佐助も桜湯を一口飲むと、もしかしたらと、ある考えを口にする。

「ひょっとして、あの二人が揉《も》めている大本《おおもと》は、その、おれんさんなんじゃ」

仁吉も頷くと、その話を引き取った。

「新六さんの縁談相手に、五一さんが惚《ほ》れたとか？　それで新六さんの妹、美津さんとの話が取りやめになったのかもな」

しかし己の縁談を断ったからといって、おれんと結ばれる筈《はず》もなく、五一は房州へ頭を冷やしに行った。その後、美津の新たな縁談が決まったので、新六は最近ようよう、おれんとの縁談を進めたのではないか。

「そこへ、話を聞いた五一さんが、房州から帰ってきたわけか」

五一は二人に謝りにきたのか、それともまだおれんに未練があるのか。とにかくそれなら、あれこれ分からなかった事の説明がつくのではないか。仁吉の話を聞いて、若だんなが新六を見る。

「じゃあ、さっき買った櫛は、おれんさんへの土産にする気なのかな」

「そういう結末ですか」

話は床机の上で、まとまったかに見えた。

しかし。ここで栄吉が「でも」と、小さな声を出したのだ。

「あの、安野屋で噂《うわさ》を聞いたんですが」

先に栄吉が安野屋の菓子を届けたのは、松木屋で内々の祝いがあったからだ。娘御《むすめご》の縁談が決まった祝いだと聞き、目出度《めでた》いことだと、栄吉は歩きながら連れに言った。

すると一緒に菓子を運んでいた同輩は、松木屋ではあれこれ言うなと釘《くぎ》を刺してきたのだ。

「おれんさんの縁談、実は何年か前にもあったそうなんですが」

しかしその頃疱瘡《ほうそう》が流行《はや》り、松木屋の兄妹にもうつってしまった。妹が一人亡《な》くなり、兄とおれんは助かったが、顔に目立つあばたが残ったという。

「そのせいで、その時の縁談は駄目になったとか」

そのおれんが、今回、新たな縁組みを決めたのだ。きっと随分持参金が積まれたのだろうと、安野屋で噂になったらしい。つまり金で縁組みを買ったと、言われているのだ。

だから栄吉は、余計なことは言わぬよう、店の者に口止めされた。勿論《もちろん》、以前の縁談相手は、今回の新六ではなかったそうだ。

「五一さんが、おれんさんを好きになったとしたら、それは房州へ行く前の話ですよね。その時なら縁談を申し込めば、嫁に出来たと思います」

新六と、おれんの事が元で揉めることは、ないと思われるのだ。

「やれ、考えが外れたか」

仁吉が首を振ると、若だんなは湯飲みを手に、小さくつぶやく。

「持参金……」

おれんは多額の金子と共に嫁に入る、いわゆる持参金付きの嫁だったのだ。

そして先程螺鈿《らでん》の櫛を買うとき、新六は今なら金子があると言っていた。

新六は五一に、己の嫁取りのことを、伝えてはいなかった。多分新六には、今回の縁談のことを友へ話しにくいという気持ちが、あったのではないか。

(何故なら……)

若だんなは頭の中で、今回の件を組み立ててゆく。そして久々に、すっきりとした表情を浮かべた。

「分かった!」

そう口にした、その時。

皆を呼ぶ声が聞こえ、若だんな達は揃って顔を上げた。新六が、茶屋へと小走りに近寄ってきていた。

「済まない、いつの間にか、五一とはぐれたみたいだ。久方ぶりに江戸へ帰ってきたので、あいつ道に迷ったのかもしれない」

新六はそういうと、友を探しに行くから、先に浜村屋へ菓子を届けてくれないかと、栄吉に言ってきた。

「勿論、構いませんが」

栄吉が頷くと、新六は若だんな達へ急ぎ頭を下げてから、通りの人波へと顔を向ける。

「ちょいと、新六さん。あの、思いついたことがあるんですが」

若だんながその背に声を掛けたが、新六はあっという間に、人の流れの中へと消えてしまった。

「ああ、何も聞かずに行っちゃった」

若だんなが溜息《ためいき》をつき、では己達も歩こうかと立ち上がる。だが兄や達は若だんなを床机の上にまた座らせると、もう少し休もうと言ってきかない。栄吉は笑うと、若だんなに問うた。

「それで、何が分かったんだい？」

「ああ、うん、そのね」

若だんなが話し出したのを見て、佐助が、皆にもう一杯茶を頼んだ。若だんなは新六と五一の件を、最初から並べてみたと口にする。

「まず、一番初めにあったのは……そう、新六さんが親友に、妹の美津さんを添わせたらと考えついたことかな」

この話は、当初上手《うま》くいった。美津と五一は、許嫁となったのだ。

しかし後に五一が房州へゆき、美津との話は無くなった。美津は恋しい相手を失い、一人江戸に残されることになった。

「そんなことになったら、美津さん、気持ちが落ち込むだろう？」

「そりゃあ、そうさ。きっと破談のことは、近所でも噂になっただろうし」

栄吉が請け合う。何しろその手の話というのは、おなご達が一番、興味津々《しんしん》となるものだからだ。

「それにしても五一さん、どうして房州に行ったのかな」

栄吉の疑問を聞き、己も分からないと、若だんなが首を振る。五一は先程も、その訳を語っていなかった。

「とにかく、それで気を落としてる美津さんに、新六さんは何としても、新たな良き縁をと思ったに違いない」

自分の親友が、妹を裏切ったのだ。

「で、それから一年たった頃、美津さんに今回の良縁が見つかった」

栄吉が言うと若だんなが頷いた。

「だけど、新しい美津さんのお相手は、思いがけない程、裕福なお人だったんじゃないかな。だから、浜村屋では困ることがあったと思う」

浜村屋は、いつも慎ましく菓子を買っていたと、安野屋の手代が言っていた。急ぎ、あれこれ費用が必要になっても、浜村屋は無い袖《そで》を振れなかったのだ。だが是非とも話をまとめたかった新六は、その縁談の為《ため》、一つの決断をした。

「その頃新六さんは、あばたがあるからと多額の持参金が付いた嫁を、貰《もら》う事に決めた」

「ああ、なるほど」

兄や達が、得心して頷く。

「つまり、自分が持参金付きの嫁を貰って、その金子で妹の婚礼費用を捻出《ねんしゅつ》することにしたんですね」

先々金が入ってくる当てが出来た為か、今、新六の紙入れには余裕がある。だから五一の櫛代とて、払えたのだ。

友の、その余裕を確かめた五一は、親からの手紙の内容が、本当であったことを知ったのだろう。新六は、本当に持参金目当てで嫁を迎える気だと。

「つまり五一さんは、自分が美津さんとの縁組みを断った結果、新六さんの人生を変えてしまった事を確かめたんだ」

ただ、若だんなにも分からない事はある。

「五一さん、その事を知って、どうするつもりなのかしら？」

気になるのは分かる。しかし、今更どうするというのか。

若だんなが栄吉の、そして兄や達の目を見た。

4

「ひゃあぁっ」

突然茶屋に響いたのは、栄吉の声であった。

「ぎゅんわっ」

若だんなの袖の内で、驚いた鳴家《やなり》達が大きな声を上げたが、栄吉の大声が続いていたので、誰も気がつかない。若だんなが栄吉の目の先を見ると、大きな菓子の風呂敷《ふろしき》包みを抱えた男が、茶屋から駆け出してゆくところであった。

「お届け物がっ」

かっぱらいだと、悲鳴のような声と共に、栄吉が必死に追いすがる。若だんなは飛び上がるように立つと、己の足で追っても無理と判断し、すぐ兄や達に頼んだ。

「仁吉、佐助、お願いだよ。菓子を取り戻して」

「分かりました」

「仁吉、若だんなに付いていておくれ。あいつを捕まえるには、私一人で十分だろう」

その一言を残すと、佐助がさっと茶屋から走り出る。そしてあっという間に、男に離されかかっていた栄吉を追い抜き、かっぱらいの袖の先を摑《つか》んだ。

まさか追いつかれるとは思ってもいなかったのだろう、かっぱらいの顔色が変わる。顔が歪《ゆが》んだ時、佐助は帯へも手を伸ばした。

すると、その男は思い切りいきり立ち、奇妙な雄叫《おたけ》びを上げたのだ。風呂敷を振り回したものだから、結び目がゆるみ、菓子箱が内で崩れる。男はそれに構わず、なんとどすまでも、懐《ふところ》から出して来たのだ。思い切り癇性《かんしょう》な質《たち》とみえ、菓子のかっぱらいの筈が、いきなり人切りに化けてゆく。

「佐助っ」

若だんなは、驚いて立ちすくんでしまった。

そして。

「ぎゃあああっ」

身も世もない大声で叫んだ栄吉の目の前で、上菓子が宙を舞った。「おっ」佐助は一寸、しまったという表情を浮かべたが、若だんなが関わらぬ事であったから、冷静なものだ。菓子の雨の下、かっぱらいがどすを突いてくると、あっさりと腕を摑み、土まみれになった饅頭《まんじゅう》の上へ引き落とす。男はあっと言う間に動かなくなってしまった。

だが。

「ああ、菓子。菓子！　全部転がっちまって……菓子が」

栄吉は男に目もくれず、四方に転がった甘味を手に取り、細かく身を震わせている。目に、涙が盛り上がってきていた。

「私ってば、使い一つ出来ないのか」

菓子作りが満足に出来ないだけでなく、こんな事すら駄目となったら、店に置いて貰えなくなる。そう言い始めた友の肩に、若だんなが慌《あわ》てて手を置いた。

「栄吉、私が悪いんだ。私に付き合って、茶屋に長くいてもらったのが、いけなかったんだよ。安野屋のご主人には私のせいだって、ちゃんと言っておくから」

勿論菓子は、若だんなが別の品を買って、また届けてもらう。新六は店にある菓子を、端から買っていた。だから菓子が変わっても、怒りはしないと思うのだ。

「でも……使い事すら満足に出来ないなんて。私は」

栄吉が半泣きの声を出し座り込んでいると、そこいらで遊んでいた子供らが、近寄ってきた。転がった菓子を誰も拾わないのを見て手を伸ばすと、土が付いているのも構わず拾い、上手に中だけ食べ始める。

その時、もう誰も剣呑《けんのん》な男に構わないでいると、男はいきなり起き上がり、奇妙な叫び声と共に遁走《とんそう》してしまった。一応、「覚えてやがれっ」と、付け足して消える。

「やれ、間抜けをしてしまった」

佐助が栄吉に謝ると、ようやっと友が立ち上がる。こうなったら仕方がないと、また安野屋へと皆で戻る事になった。

「やれやれ。若だんな、疲れていませんか」

ところが。しょげた様子で店に着いた途端、栄吉は目を見開く事になったのだ。

「ありゃ、これは……松木屋のおれんさん」

つい今し方、話題にしていた人が、安野屋の店先で菓子を買おうとしていたのだ。

(このお人が、おれんさん)

灰色の頭巾《ずきん》ですっぽりと頭をくるんでいるから、顔に残ったというあばたは、ほとんど目立たない。安野屋の主《あるじ》が、若だんながまた現れたことを訝《いぶか》しんでいる様子であったので、外でかっぱらいに行き合ったことを話した。

箱がひっくり返り、沢山の菓子が全部駄目になった事を告げると、主は唸《うな》る。

「で、若だんなの落ち度だから、長崎屋さんが菓子を買い直すとおっしゃるんで？

いや、そんなことをなすっちゃいけませんや」

奉公人がやったことは、主が責任を取る。安野屋は、浜村屋への菓子は己がもう一度整えると、そう言って譲らない構えを見せたのだ。

すると。

ここで困ったような声を出したのは、若だんなではなく、近くにいたおれんであった。

「浜村屋さんは今日、お菓子を買われたんですか？　まあ、そんなに沢山？」

では、自分が一箱持って行っても、迷惑になるだろうか。おれんが店先で当惑した様子になったのを見て、若だんなが首を傾《かし》げた。

「実は私、先程まで浜村屋の新六さんと、一緒におりました。新六さん、菓子は五一さんのために買ったと、言われてましたが」

「まあ……ではそちら様は、新六さんや五一さんを、ご存じなのですね」

若だんな達が名乗り、これから菓子を改めて整え、新六の家へ届けるところだと言う。すると、おれんは寸の間迷った後、自分も浜村屋へ行くつもりなので、同道させて貰えないかと言い出したのだ。

何となく、自分一人では浜村屋の暖簾《のれん》をくぐりにくいのでと、おれんはそう付け足した。

「おや、浜村屋さんに行かれるんですか。でも今日新六さんは、五一さんと一緒におられましたが」

ここで安野屋が、やや心配げに言う。二人が安野屋から、浜村屋へ真《ま》っ直《す》ぐ帰っていればいい。だが若い男の二人連れ、どこかへ出かけてしまわないとも限らないからだ。

だがおれんは、僅《わず》かに笑みを浮かべた。

「五一さんは先程、お一人で私に会いに来られました。この後新六さんを、浜村屋へ連れて帰ると約束してくださいましたから、大丈夫だと思います」

「おや、では急に居なくなった五一さんは、やはりおれんさんの所へ行ってたのか」

訳を承知なさってますかと、若だんなが問うと、おれんは寸の間、次の言葉を言いよどんだ。

「でも……黙っていても、直ぐこの辺りの噂《うわさ》になるでしょうね」

しゃきりと顔を上げると、自分は新六との縁談を断りにゆく所だと、おれんはそう言ったのだ。その挨拶《あいさつ》の為、菓子を買いに来たらしい。

「おや、おれんさんは、その、その……」

驚いた安野屋は、言いかけた破談という言葉を、喉元《のどもと》で押しとどめる。

「な、何でおれんさんの方が」

若だんなが呆然《ぼうぜん》としていると、その間に冷静だった仁吉と佐助は、手代達に指図をし、菓子を箱に詰めさせた。

「そういう事でしたら、早めに用を済ませましょう」

仁吉は菓子を一箱おれんに持たせ、代金をちょいと長崎屋の帳面に書き付けると、早々に駕籠《かご》を二丁呼びにやる。

それから片方へおれんを乗せ、もう一方へ若だんなを押し込むと、今度こそ、さっさと用を終わらせる心づもりのようで、駕籠を急がせた。

兄や達は、栄吉と菓子、それにおれんを浜村屋へ送り届け、そのまま若だんなの駕籠と一緒に、長崎屋まで戻る気であったようだ。

ところが。

皆は、道を少し行った先、かっぱらいと遭遇した茶屋近くで、おれんを探しに来た松木屋の手代と、行き合ったのだ。

「はい？　今、松木屋の方に、新六さんと五一さんが来ているんですか？」

驚いた一行は、浜村屋ではなく松木屋へ向かい、近くで駕籠から降りた。そして、立ちすくむ事になったのだ。

「まあ、新六さんと五一さんが……」

通りの十字路近くで、二人は派手な喧嘩《けんか》をしていた。訳を手代に聞いたが、首を傾げるばかりだ。人が集まってきていて、皆、興味津々《しんしん》、声まで掛けながら、殴り合いを見ている。若だんなは止める事も出来ず、おれんの隣に立った。そして小声で、先《せん》刻《こく》縁談を断ると言った理由を、尋ねてもよいか聞いたのだ。

「その、多分目の前の喧嘩と、関係があると思われますので」

おれんが、僅かに笑う。

「先程五一さんが、松木屋に来られたとき……」

親しいという程ではなし、年も違うが、おれんは五一や新六と、寺子屋で顔を合わせた事があった。菓子屋や通りで会えば、挨拶をするくらいの顔見知りであったのだ。

よって、店に来た五一に会ったが、訪問の理由には驚くことになった。

「五一さん、自分と美津さんが破談になった結果を、償いたいと言われまして」

「償いたい？」

「自分が美津さんとの縁談を断ったから、回り回って、新六さんが持参金付きの嫁、私のようなあばたの嫁を、貰う羽目になった。五一さんは、そう考えておいででした」

そのことを、五一は酷《ひど》く気にしていたというのだ。

「それで、美津さんが必要とするお金は、五一さんが何とかすると言われました」

五一はまだ当主ではなく、店の金子は動かせない。しかし集めている文房四宝を、そっくり新六に渡せばなんとかなる。そう五一は言い出したのだ。

「ああいう趣味の品は、結構な値がつくのだそうです。硯《すずり》は、墨や紙のように減るものではありませんから」

ことに、祖父から受け継いだ物の中には、良い品が幾つもあるらしい。その代金をもって、美津の件の謝罪としたい。それが五一の希望であった。

「ついては、もう持参金は必要でないので、私に今回の縁談から身を引いて欲しい。そう頼まれました」

五一は両の手を突き、頭を畳にすりつけていた。

「自分がいかに無茶を言っているか、分かっているとも言われました」

やっとまとまったおれんの縁談を、壊すのだ。本当に酷いことをしていると言った。恨むのなら自分をと言った。それでも五一は新六に、好きなおなごを選んで欲しいと願っていたのだ。

ここでおれんが、ふっと笑う。

「私との縁談を承知なさる時、新六さんは、とても正直にものを言われました。美津さんの持参金が要りよう故《ゆえ》、私のもってゆくお金をそちらに使いたい。構わないかと、私の両親の前で聞いたんです」

若だんなが目を見張る。

おれんの両親は、返す持参金が無くなれば、おれんが離縁されることはないと思ったのか、好きにしてよいと伝えたそうだ。おれん自身は元々、自分の金子という気持ちにもなれない大金だからと言い、ただ頷《うなず》いた。

「ほっと？」

いや、本心のおれんは、大いにほっとしていたのだ。

「新六さんははっきり、持参金が欲しいって言いました。つまりそのお金を持って行ける私は、新六さんにとって、一緒になりたい相手だったんです」

痘瘡《とうそう》のあばた顔であっても、顔を背けない亭主と出会えたと思った。自分は運が良いのだと、おれんは本心そう思ったのだ。

「でも、もう私の持参金は、必要なくなりました。だから、こちらから縁談をお断りに行きます」

多分新六の立場では、断りにくい話だと思うから。おれんの声は、最後には小さくなって、良く聞こえなかった。

「おれんさんは、いいお人ですね」

「あら、嬉《うれ》しいことをおっしゃって」

新六もおれんのことを、そう言ってくれたことがあった。でも、それでも男と女は、縁のない事もあるようだ。

「新六さんと五一さん、喧嘩を止《や》めませんね」

互いの勝手な行いと、金と、怒りと、あれこれごちゃ混ぜになったものが、拳固《げんこ》と化しているからだろう。おれんは二人を見続けている。

野次馬《やじうま》は段々と増え、けしかける声が大きくなって来ていた。皆、己が殴られるのは嫌だが、拳固が飛び交うのを見る事は、好きらしい。

「破談の意向、親御さんは承知なんですか」

若だんながまた尋ねると、おれんは小さく肩をすくめた。

「勝手に断ったら、私、怒られますね、きっと」

「大変ですよ、後が」

両の親は、娘がやっと人並みに嫁げると、喜んでいるに違いない。その縁を己から投げ捨てたら、親は怒るどころか、泣き出すかもしれなかった。

「泣かれたら、参ります」

それでも、もう松木屋のお金、新六さんには必要ないですからと、おれんが少し悲しそうに言う。

するとこの時、今まで黙っていた仁吉が、栄吉が抱えた菓子箱の向こうから、おれんに聞いてきたのだ。

「新六さんのことが、好きでしたか？」

「……えっ？」

「新六さんはおれんさんのことを、どう思っておいでなんでしょうね。以前からの顔見知りですよね？」

おれんのことを、いい人だと言っていたようではないか。

「さあ。でも小さい頃、一緒に遊んだ訳でもないし」

あの頃はあばたが無かったなぁと、おれんがどこか遠くを見るような目をして言った。そしてまた、喧嘩に視線を戻す。

「それにしても、男の人って、友達のことを大事に大事に思うんですね」

おれんは、顔にあばたが残った後、友だと思っていた馴染《なじ》みの娘達に、随分と心ない噂を立てられたという。表向きは同情を寄せるようでいて、その実、ただおれんの不幸を面白がっているだけの噂話だ。それが辛《つら》くて、最近は家から出ないようになっていた。

「こんなに喋《しゃべ》ったのは、実は久方ぶりです」

おれんがもう一度、男の人の友達はいいなぁとつぶやいたので、若だんなは少し笑う。

「五一さんの場合は……多分少し特別で」

「特別？」

おれんが首を傾げて若だんなを見たその時、近くから栄吉の、息を呑《の》むような声が聞こえてきたのだ。

5

「へええ、こりゃこりゃ。お前ら、また菓子箱を抱えて来たのか」

こいつは、おれへの挑戦か、などという声がしたと思ったら、若だんなは目の端に、金《かね》っけが光るのを見た。

一瞬の内に、仁吉が若だんなの腕を引いたので、誰かが摑《つか》もうと伸ばしてきた手から、逃げる事が出来た。栄吉が今度こそ、それこそ必死に菓子箱を守って、その場から飛び退《の》く。すると声の主《ぬし》の側《そば》に残ったのは、おれんだけになってしまった。

「おや、おんなが一人でいるよ」

少し前に、かっぱらいから人切りに化けた男は、一度伸《の》されたというのに、懲《こ》りずにどすを持ち続けていたのだ。それがおれんに向けられたものだから、短い悲鳴が上がる。

途端、喧嘩をしていた二人は、動きを止めた。輪になって集まっていた野次馬達も、一寸《ちょっと》呆然と立ちすくんだ後、鈍く光るどすを目にしたらしい。巻き込まれては剣呑《けんのん》とばかり、皆、その場から逃げ出す。

「おれんさん」

新六が顔を顰《しか》め、五一ではなく人切りの方へ向き合う。すると、女の前で格好をつけたと思ったのか、新六を見つめる人切りの目つきが、ぐっと嫌なものへと変わった。

「あの、佐助。おれんさんを助けられない？」

若だんなが急ぎ、兄やに尋ねる。しかし。

「そうですね……どすが余りにもおれんさんに近くて、邪魔ですね」

刺されて、おれんさんが死んでは拙《まず》いのですよねと、佐助が困った顔で聞いてくる。菓子のように、しまったでは済まない話なので、若だんなが思いきり首を横に振った。

すると、これは少し時がかかるかなと、兄や達が囁《ささや》いた。

「人というのは、死にやすいんで厄介なんですよ」

「あのねえ、それが並のことだよ」

若だんなは溜息《ためいき》をついたその後、急に目を見開く。何と新六が正面から、おれんと人切りへの間《ま》を、詰めていったのだ。

そしてその後ろ姿に、五一が声を掛けていた。

「おい、許嫁《いいなずけ》に義理立てか？　勇気を示す間合いだな」

「あのな、目の前にいるのは、嫁と決めたおなごなんだ。助けるのは当たり前だろうが」

もし、もし妹美津に何かあったとき、亭主となる男が美津を助けなかったら、己は怒ると新六は言い切る。それでは夫婦の意味がない。少なくとも新六には、とんと理解出来ないからだ。

「持参金付きの嫁でも、変わらんか」

五一が更に聞いてくる。

「ふんっ、持参金がなんだ！」

ここで新六はそう言うと、人切りを見たまま、僅《わず》かに肩をそびやかした。思い切り皮肉っぽい笑いを口元に漂わせる。

「そう言ってやれたら、おれんさんはきっと、ぐっと楽になっていたと思う」

しかし、だ。新六には美津に持たせる持参金が、必要であった。おれんが、己のあばたを気にしていると分かっていても、持参金無しで良いとは言ってやれなかったのだ。

「おれは情けない男だ。嫁にも妹にも、大きな顔は出来んな。でも、それでも要るものは要るんでね」

だから、そんな情けのなさを承知していたから、新六は五一のいる房州へ、嫁が決まったことを報告出来なかったのだ。きっと今この時、五一が気にしているように、以前の破談のことを思い起こさせてしまうだろうからだ。

結局話は、筒抜《つつぬ》けになってしまったが。

「済まん」

新六はそれだけ言うと、人切りとの間を更に詰めた。

「なんだ……嫁さんは嫁さん、金が絡《から》んでも、変わらないのか」

五一は、ふっと体の力を抜いたように見えた。

「何をくっちゃべってるんだっ」

人切りが苛立《いらだ》つ。多分目の前の男二人が、己に分からない話を勝手に進めている事に、苛立ってきたのだろう。

するとこの時、四人から少し離れた所に逃れた栄吉が、風呂敷《ふろしき》包みを解き、若だんなに一箱渡してきた。そして己も手に箱を持つ。

「せっかく、一太郎が買い直してくれたのに。この菓子まで駄目にしたら、本当に首になるかも」

そう言いつつも、人切りが無茶をしたら投げつけ、新六達を援護出来るよう、菓子箱を構えたのだ。

「いい思いつきだ、栄吉。でもなあ、言っちゃなんだけど、安野屋のご主人は、真っ先にこういう事をしそうなお人だと思わないか？」

「そういえば、そうかもな」

「菓子のおかげで助かったら、新六さんはその菓子を食べた時より、喜ぶと思いますがね」

よければ己がしましょうかという佐助の言葉に首を振り、二人が僅かにおれん達へと近づく。その時。

何がきっかけだったのか、分からなかった。とにかく人切りは、いきなり手にしたどすを、おれんに突き出したのだ。

おれんが咄嗟《とっさ》に、浜村屋への挨拶《あいさつ》の為《ため》買い求めた菓子箱で、その刃を止める。男がかっとして目玉をむいたとき、栄吉と若だんなが二人して、上菓子をその顔に投げつけた。

「うぉっ」

短い叫びと共に、一瞬どすが菓子をはね除《の》ける事に使われた。するとそこへ、新六が思い切りよく突っ込んで、人切りの腕を殴りつけ、おれんを引っ張ったのだ。

だが、どすを離さなかった人切りは、その刃《やいば》を振り回した。新六は仰《の》け反《ぞ》り、人切りはおれんの方を追った。広がって遠くから様子を見ていた野次馬達が、一気に逃げにかかる。おれんは必死に走り、しかし、人切りの方が早かった。

そして。

「ひあっ」

大きな声と共に、人切りは体ごと、おれんに突っ込んだ。

だが、おれんには届かなかった。五一が、間に入っていたのだ。

「五一っ」

新六が叫び、おれんは道に転げて、声もでない。人切りはたがが外れたような、今にもわめき出しそうな表情を浮かべ、五一に突き立てた己の刃物から視線を外さないでいる。

だが……その内その表情が、引きつったものに変わっていった。

「ひ、え?」

手が震え始める。どすを握りしめたまま、震えている。

人切りは確かに、五一の腹を刺していたのだ。しかしどう見ても、何度見ても、腹からは血が流れ出してはいなかった。

「えっ」

おれんがやっと出した声は、短かった。

やがて人切りは、五一に引きずられるようにして、大店脇《おおだなわき》の、長屋へ通じる小路へ入って行く。いつの間にか、どすが地面に落ちていた。

「やってくれたなぁ」

五一のいつもと変わらない様子が、却《かえ》ってそれはそれは恐ろしい。辺りに血を流し、膝《ひざ》を突き、倒れ込んでいるべき男が、人切りの襟首《えりくび》を捕まえ、離さないでいるのだ。

人切りが死にものぐるいで身をよじっても、五一はその体を押さえ込んでいた。

「お前、おれと一緒に連れて行っちまおうか」

五一がすっと屈《かが》んで囁くと、人切りの目が、段々どちらを向いているのか、分からなくなってくる。

「ど、どこへ」

という形に唇は動いたが、声にはならなかった。

「そりゃあ、あの世へ」

「う、うえっ、うげえええぇ……」

やがて人切りは奇妙な声を出し始め、その内目をぐるぐる回すと、力なく小路に尻《しり》を突き、口をきかなくなる。五一は僅かの間、その姿を見下ろしていた。

するとそこへ、新六が駆け寄ってきて、五一を見つめる。血の跡のない腹を見て、唇を噛《か》んでいた。

「……房州にいる五一の具合が、随分悪い。最近川田屋さんから、そう聞いてたんだ」

腹にしこりがあるから、房州で療養すると五一に言われた時は、妹を江戸へ置き去りにするのかと、腹が立った。しかし五一の家、川田屋から容態を聞く度に、だんだんと心配ばかりが先に立つようになってくる。

その内、新六は妹の為に、他の縁組みを探すしかなくなってしまった。今日は、気が焦《あせ》ってきた友らが集まって、五一が好きな菓子を食べ、五一へ励ます文を書こうと、そういう話になっていたのだ。

「安野屋へ行く途中、お前さんに出会って、心底驚いた」

江戸へ戻って来られたのかと、嬉《うれ》しかった。しかし、直《す》ぐに怖くなった。目の前に現れた友は、どこの誰なのだろうか。話せば親友としか思えず、しかし、どう考えても五一が今、江戸へ現れるはずもなかったのだ。

「川田屋さんからは、何も言ってきていなかったし」

新六は安野屋で、不安故《ゆえ》に、五一へつっけんどんな物言いをしたと言った。

(その気持ちは、分かる)

若だんなが五一の姿を見つつ、唇を噛む。何故《なぜ》なら……疑問の先に待っている答えは、泣きたくなるようなものでしかないからだ。

実際、新六は目に涙を溜《た》め、拭《ぬぐ》いもせず流しはじめていた。五一という雨性な男が、天に雨雲を連れてきて、顔に降らしているかのようであった。

「泣くなよ、新六。おれは幽霊かな？　いや、生き霊《いりょう》ってところか」

多分まだ死んじゃあいないと、当人は飄々《ひょうひょう》と話している。そういえば、房州から江戸への旅は、覚えていないなぁとも口にした。泣きべそかきの親友は、必死に言葉を重ねてくる。

「お前に触れた。足もある。まだ大丈夫だ。そうだな、五一。そうだよな？」

重ねて言われて、五一は静かに笑っている。その目をさっとおれんに向けると、後はこの友人を頼むと、そう言い出した。

「おれんさん、もうその頭巾《ずきん》は取ってくれ。新六は頑固者だが、打たれ弱いところがある。あばたが何だ。お前さんまで心が弱いんじゃ、あいつを預けられない」

おれんは直ぐに、迷いもなく頭巾を外すと、手の内に畳み込む。何度見ても五一の外見は先程と変わらない。しかし、やはり五一が少しばかり恐ろしいのか、栄吉が若だんなの手に触れてきた。

だが、その口を突いたのは、思いも掛けない言葉であった。

「目の前にいるのに……五一さんは幻なのか。実は今も房州の家にいて、じきに逝《ゆ》くのか」

「多分」

「あんなに若いのに？」

五一も新六も、若だんな達より少し年上というところだろう。親もまだ健在なのに、五一はきっと、もう江戸へ戻ってはこられないのだ。

こうして目の前にいるのに、多分、もう。

栄吉が、菓子箱の方へ目を逸《そ》らしたまま、若だんなに言う。

「一太郎は、逝くなよ」

「えっ？」

お前さんは時々、いや、いつも、何となく心配だから。でも、お願いだから逝くなと、かすれて消えそうな声で、栄吉が頼んでくる。

一寸《ちょっと》、どう返答をしたらよいのか分からなかった。気の弱い言葉が、口からこぼれ出そうになる。

しかし若だんなは、とにかく総身《そうみ》の力を腹に集めた。それから、一所懸命返事をしたのだ。

「大丈夫だ」

いて欲しいと言ってくれる友がいる。それがありがたくて、嬉しい。兄や達が今も、当たり前のような顔をして隣にいるのが、心強い。

袖《そで》の内で話も分からず、ただ安心して眠っている鳴家《やなり》達が、いとおしい。だから、頑張る。

（でも……）

五一の姿は、まだ当たり前のように、小路にあった。瞬《まばた》きをすると、それが消えてしまうと疑っているのか、新六がずっと友を見つめている。

多分程なく、永遠に、友は眼前から消え、二度と見ることが出来なくなる。それを知っているから。

新六は……見つめ続けていた。

参考文献

『神社と神々―知れば知るほど』井上順孝監修　実業之日本社
『日本　神さま事典』三橋健・白山芳太郎編著　大法輪閣
『近世風俗志』喜田川守貞著　岩波文庫
『甘藷百珍』大曜
『卵百珍』大曜
『豆腐百珍』大曜
『料理百珍集』八坂書房

対談　福田浩×畠中恵

若だんなの朝ごはん

―とうふづくし―

献立

豆腐粥《とうふがゆ》　せり　霰生姜《あられしょうが》
木の芽田楽
角飛龍頭《かくひりょうず》　煎酒《いりざけ》　わさび
海老豆腐《えびどうふ》　擂柚子《すりゆず》
八杯豆腐　大根おろし　七色トウガラシ

――『やなりいなり』に収録された各作品に共通するテーマは「料理」。今回の文庫化を記念して、東京・大塚で江戸前料理「なべ家」を経営する料理家の福田浩《ふくだひろし》さんに、「若だんなの朝ごはん」をテーマにお料理を作っていただきました!

江戸の豆腐は固かった?

畠中恵（以下畠中）　今日、福田さんに作っていただいたお料理のほとんどは、江戸の料理本『豆腐百珍』＊の中から選んで下さったんですよね。

福田浩（以下福田）　はい。病弱な若だんなの朝ごはんにふさわしい、胃に優しく栄養があるものといえば、やはり豆腐だろう、と思いましてね。このような献立にしてみました。

畠中　ありがとうございます。朝からこんなに美しく繊細なごはんを食べていたなんて、若だんなは幸せものですね。

まずこの豆腐粥をいただきます。小さな賽《さい》の目に切った豆腐が本当にきれいです。小さな器もとても素敵ですね。こちらは江戸時代

＊『豆腐百珍』とは……天明二年（一七八二）五月に刊行された、豆腐を使った料理百品とその作り方を掲載した本。著者は醒狂道人何必醇《せいきょうどうじんかひつじゅん》。好評につき、翌年には『豆腐百珍続編』、さらに後には『豆腐百珍余録』が出版された。

の器なんでしょうか？

福田　そうです。田楽の器だけ大正のものですが、それ以外は江戸後期のものです。やはり今のモダンな器に盛ると、江戸料理の気分が出ませんね（笑）。

畠中　最近骨董《こっとう》に興味があって、東京国際フォーラムの大江戸骨董市などに行くこともあるんですが、食器を置くスペースのことを考えるとなかなか手が出ません。

福田　毎月、都内、近県のどこかで骨董市が開かれていますね。骨董選びのコツは気に入ったものにめぐり逢《あ》うまで根気よく通うこと。それから店の人と顔馴染《かおなじ》みになること。

畠中　なるほど、そうしてみます。

　こちらの木の芽田楽も、味噌《みそ》の上品な甘みと、お豆腐の香ばしさがマッチしていてとてもおいしいです。粉山椒《こさんしょう》の香りがさわやかで、甘さを引き締めていますね。田楽好きの若だんなが夢中になりそうな味です。

豆腐粥

福田　田楽っていうのは、単純そうに見えて、実は結構作るのが難しい料理なんですよ。まず、柔らかい豆腐に串《くし》を刺して焼くわけだから、豆腐の水気を切る下ごしらえをしなければなりません。

畠中　それは手間ですね。江戸時代のお豆腐は今よりずっと固かったそうですね。

福田　相当固かったのだと思います。四国の山奥では、今でも荒縄で縛って運べるほどの固いお豆腐を作っていて、かつては取り寄せたりもしました。

畠中　水切りの他にはどんな工程があるのでしょうか？

福田　串を打つのもちょっとしたコツが要ります。田楽用のコンロで炭火で焼くのが本格なんですが。ちょっと無理ですよね。

畠中　はあ、それは大変。とても家で再現できそうもないですね。

福田　江戸時代は、今でいうファーストフード店のように、田楽屋がそこらじゅうにあったようですよ。でも今では、東京には田楽屋は一軒も残ってないんじゃないかな。愛知県の豊橋には「きく宗《そう》」さんっていう江戸時代から続く田楽屋さんがありますけどね。

木の芽田楽

畠中　私は名古屋育ちなのですが、あの辺はおでんにも味噌を付けて食べるぐらいですからね。田楽屋さんが豊橋に残っているというのは納得です。
　この角飛龍頭もとてもきれい。食べるのがもったいないぐらいです。

福田　ありがとうございます。でも飛龍頭って、そんなにおいしいものじゃないでしょう？　一度蒸してから揚げているので、ごわごわしていて。

畠中　いえいえ、そんなことは。ごぼうやにんじん、きくらげ、その他にも具がたくさん入っていて、とてもおいしいです。

福田　具をたくさん入れるのは、お豆腐の固くなったのをごまかすためでね（笑）。これは、保存食なんです。たとえば伊勢《いせ》などでは、伊勢参りに来る大勢の参拝客に提供するために、あらかじめ蒸しておいたのをたくさん作っておいて、どんどん揚げて客に出していた。だから、味は二の次です。

畠中　そんな、本当においしいですよ。具沢山で健康にも良さそうで、若だんなにた

角飛龍頭

くさん食べさせたい。でもこんなにおいしいと、横から鳴家たちがわらわらと出てきて、横取りされてしまいそう（笑）。

天下人が味噌の味を決める

畠中　この海老豆腐も香ばしくてとても美味です。朝からこんな贅沢《ぜいたく》できれいな物を食べられるなんて、きっと長崎屋のような大店《おおだな》でないと不可能でしょうけれど。

福田　こちらの八杯豆腐は、庶民にもよく食べられた料理ですよ。

畠中　これが八杯豆腐！　一度食べてみたかったんです。何でも番付を付けたがる江戸っ子たちによる「おかず番付」では、八杯豆腐が「大関」だったそうで。とても人気のあるおかずだったんですね。

福田　八杯豆腐の名前の由来は、醬油《しょうゆ》が一杯、酒が一杯、水が六杯で作るので、あわせて「八杯」、というところから来ています。でもこれだとちょっと醬油辛い。だから今日の八杯豆腐は、水の代わりにおだしを

海老豆腐

六杯入れているんですよ。

畠中　なるほど、おだしがまたおいしい。

福田　大根おろしを上置《うわお》きしますから、味はやさしくなると思いますが、それでも今の人には少し醤油がきついかもしれませんね。

畠中　江戸の人は現代人よりも塩気を好んだのでしょうか。

福田　さあ、それはどうでしょうか。当時の調味料といえば塩、酢、味噌、醤油ぐらいですが、それだけに雑味にまみれた現代人の舌より確かだったと思います。

八杯豆腐

畠中　江戸の長屋の住人たちは、共用の「手前味噌」を作っていたといいますね。どんな味の味噌だったのか、気になります。

福田　江戸にはいろんな地方の味噌があつまっていましたからね。仙台藩などは、仙台味噌を大量に上屋敷に持ってきていたといいますし。庶民の間ではおっしゃったような手前味噌という自家製味噌もありました。徳川家が支配していた時代ですから、本膳料理で出される味噌汁は、三河味噌という決まりもあったそうです。

畠中　なるほど、天下人が誰になるかによって、料理の味も左右されるわけですね。

福田　ちなみに、『豆腐百珍』が刊行された一七八二年は、ちょうど関東の醬油が力をつけてきて、調味料の主役が味噌から醬油へと移り変わるころでした。

畠中　それまでは、江戸料理はまだ関西の影響を受けていたのでしょうか。

福田　そのとおりです。江戸時代最初の料理本は、一六四二年ごろの『料理物語』だといわれていますが、この本には、三河や伊勢、近江《おうみ》といった関西のお料理をお手本にしたものがたくさん掲載されています。

畠中　まだ江戸がはじまって四十年ですから、当然ですよね。

福田　その百年以上後、『豆腐百珍』が出た頃には、いまでいう「江戸料理」が確立していたのだと思います。「江戸っ子」などという言葉もこの頃登場したといいます

畠中　江戸文化がもっとも華やかだった時代ですね。

福田　ところが「江戸料理」はこの後発展しませんでした。大正の関東大震災をきっかけに、関西の料理屋が乗り込んできた。その後、昭和の戦争の空襲で東京がまたダメになると、さらに関西勢ががんばって、今じゃ銀座はほとんど関西ルーツのお店ばかりなんじゃないかな。

福田浩……料理家。大塚「なべ家」主人。1935年東京生れ。早稲田大学文学部卒業。家業のかたわら古い料理書の研究や江戸時代の料理の再現に力を注ぐ。著書に『完本　大江戸料理帖《りょうりちょう》』、共著に『江戸料理百選』、『料理いろは庖丁《ぼうちょう》』、『豆腐百珍』など。

畠中　言われてみればそうかもしれません。「なべ家」さんのように「江戸料理」を掲げていらっしゃるお店は珍しいですね。

福田　「江戸前」だなんていばっているけど、「江戸料理」というのは郷土料理の一つに過ぎません。

あこがれの江戸料理

畠中　実は私は、小説のなかに出てくる甘味を作ってみるのが好きなんです。以前、池波正太郎先生の『鬼平犯科帳』に出てきた「白玉餅《しらたまもち》」というお菓子を作ったことがありました。

福田　池波さんの小説にはおいしそうなものがたくさん出てきますからね。作ってみてどうでしたか？

畠中　白玉に、砂糖をたっぷりかけて食べるのですが、さっぱりおいしくなくて

（笑）。その後、当時の砂糖は精製されていないものがほとんどだったと知り、久しぶりに白玉餅を作って、こんどは黍糖《きびとう》をかけて食べてみました。そうしたらコクがあっておいしかったです。

福田　それは良かった！　畠中さんには、ぜひとも食べてみたい江戸料理はありますか？

畠中　「ねぎま鍋」ですね。大トロを惜しげもなく煮込んでいたそうですね。

福田　有名な話ですが、江戸時代、脂身《あぶらみ》であるトロは人気がなく捨てられた部分だったといいます。でも庶民は、ねぎと煮込むことで工夫して食べていたんでしょう。

畠中　今の感覚からすると、とても贅沢で信じられません。

福田　「ねぎま」という言葉は、大田南畝《おおたなんぽ》の変名である四方山人《よものさんじん》が、四代目市川海老蔵《えびぞう》に捧《ささ》げた『江戸花海老』の中に出てきたのが初めてだといわれています。奇《く》しくも天明二年と、『豆腐百珍』の刊行と同年でした。そのころにはすでに「ねぎま鍋」は庶民の間に浸透していたと思います。

畠中　「しゃばけ」の舞台設定はその少し後ですから、長崎屋の皆も食べていたかもしれません。

福田　要するにこれは、まぐろのすき焼き仕立てなんですね。醤油と砂糖で煮込んだ鍋ですから。東京で育った年配の方にとっては、「ねぎま」って言葉はとても懐《なつ》かしいものらしいです。僕の父親ぐらいの世代までは、普段のおかずとして「ねぎま」を食べていましたからね。

畠中　お話を聞いていると、ますます食べてみたくなりました。

福田　ぜひ「なべ家」に食べにいらしてくださいよ。たくさん江戸料理を食べて、小説にも登場させていただいて、いずれ畠中さんと一緒に「しゃばけレシピブック」を作れるといいですよね。

畠中　はい、ぜひよろしくお願いします！

（二〇一三年十月　於「なべ家」）

写真・佐藤慎吾

この作品は二〇一一年七月新潮社より刊行された。

やなりいなり

新潮文庫　は－37－10

平成二十五年十二月一日発行
平成二十五年十二月十日二刷

著者　畠《はたけ》中《なか》恵《めぐみ》

発行者　佐藤隆信

発行所　株式会社新潮社

郵便番号　一六二―八七一一
東京都新宿区矢来町七一
電話編集部(〇三)三二六六―五四四〇
読者係(〇三)三二六六―五一一一
http://www.shinchosha.co.jp

価格はカバーに表示してあります。

乱丁・落丁本は、ご面倒ですが小社読者係宛ご送付ください。送料小社負担にてお取替えいたします。

印刷・大日本印刷株式会社　製本・憲専堂製本株式会社

ISBN978-4-10-146130-4 C0193